Ullstein Theater Texte

D0041456

Ullstein Theater Texte

Weitere Bände dieser Reihe:

Ullstein Buch Nr. 4975
im Verlag Ullstein GmbH,
Frankfurt/M – Berlin – Wien

Text der Centenar-Ausgabe

Umschlagentwurf: Kurt Weidemann
© 1959 by Verlag Ullstein GmbH,
Frankfurt/M – Berlin – Wien
Alle Rechte, insbesondere der Bühnen
aufführung, der Rundfunk- und
Televisionssendung und Wiedergabe,
der Verfilmung und der mechanischer
Reproduktion, sowie evtl. künftig noch
entstehenden Rechte, vorbehalten.
Diese Rechte sind ausschließlich zu
erwerben von dem Verlag Felix Bloch
Erben, Berlin 12, Hardenbergstraße 6
Printed in Germany 1979
Gesamtherstellung:
Ebner Ulm
ISBN 3 548 04975 3

Gerhart Hauptmann

Der Biberpelz
Eine Diebskomödie

Mit einem Nachwort
von Hubert Razinger

Ullstein Theater Texte

DER BIBERPELZ

Eine Diebskomödie

———————

Begonnen im Sommer 1892,
beendet Anfang 1893 in Schreiberhau.
Erstveröffentlichung: Buchausgabe 1893

DRAMATIS PERSONAE

VON WEHRHAHN, Amtsvorsteher

KRÜGER, Rentier

DOKTOR FLEISCHER

PHILIPP, sein Sohn

MOTES

FRAU MOTES

FRAU WOLFF, Waschfrau

JULIUS WOLFF, ihr Mann

LEONTINE
ADELHEID } ihre Töchter

WULKOW, Schiffer

GLASENAPP, Amtsschreiber

MITTELDORF, Amtsdiener

Ort des Geschehens: irgendwo um Berlin.
Zeit: Septennatskampf gegen Ende der achtziger Jahre.

ERSTER AKT

*Kleiner, blaugetünchter, flacher Küchenraum mit niedriger
Decke; ein Fenster links; eine rohgezimmerte Tür ins Freie
führend rechts; eine Tür mit ausgehobenem Flügel mitten in
der Hinterwand. — Links in der Ecke der Herd, darüber an
der Wand Küchengerät am Rahmen, rechts in der Ecke Ruder
und Schiffereigerät; gespaltenes Holz, sogenannte Stubben,
unter dem Fenster in einem Haufen. Eine alte Küchenbank,
mehrere Schemel usw. usw. — Durch den leeren Türrahmen
der Hinterwand blickt man in einen zweiten Raum. Darin
steht ein hochgemachtes, sauber gedecktes Bett, darüber hängen billige Photographien in noch billigeren Rahmen, Öl-
druckköpfe in Visitenkartenformat usw. Ein Stuhl aus weichem Holz ist mit der Lehne gegen das Bett gestellt. — Es ist
Winter, der Mond scheint. Auf dem Herd in einem Blech-
leuchter steht ein brennendes Talglicht. Leontine Wolff ist auf
einem Schemel am Herd, Kopf und Arme auf der Herdplatte,
eingeschlafen. Sie ist ein siebzehnjähriges, hübsches, blondes
Mädchen in der Arbeitstracht eines Dienstmädchens. Über die
blaue Kattunjacke hat sie ein dickes, wollenes Brusttuch ge-
bunden. — Einige Sekunden bleibt es still, dann hört man, wie
jemand bemüht ist, von außen die Tür aufzuschließen, in der
jedoch von innen der Schlüssel steckt. Nun pocht es.*

FRAU WOLFF, *unsichtbar von außen.* Adelheid! Adelheid! *Stille;
dann wird von der andern Seite ans Fenster gepocht.* Wirschte
gleich uffmachen!

LEONTINE, *im Schlaf.* Nein, nein, ick laß mir nich schinden!

FRAU WOLFF. Mach uff, Mädel, sonste komm ich durchs Fenster. *Sie trommelt sehr stark ans Fenster.*

LEONTINE, *aufwachend.* Ach, du bist's, Mama! Ick komme ja
schon! *Sie schließt auf.*

FRAU WOLFF, *ohne einen Sack, welchen sie auf der Schulter
trägt, abzulegen.* Was willst'n du hier?

LEONTINE, *verschlafen.* 'n Abend, Mama!

FRAU WOLFF. Wie bist'n du reinkommen, hä?

LEONTINE. Na, übern Ziejenstall lag doch der Schlüssel.
Kleine Pause.

FRAU WOLFF. Was willste denn nu zu Hause, Mädel?

LEONTINE, *läppisch maulend.* Ich soll woll man jar nich mehr bei euch komm?

FRAU WOLFF. Na, sei bloß so gutt und tu dich a bissel. Das hab ich zu gerne. *Sie läßt den Sack von der Schulter fallen.* Du weeßt woll noch gar nich, wie spät daß 's schonn is? Mach bloß, daßte fortkommst zu deiner Herrschaft.

LEONTINE. Wenn ick da man ooch wer mal 'n bißken zu spät komm!

FRAU WOLFF. Nu nimm dich in Obacht, haste verstanden! Und sieh, daßte fortkommst, sonst haste verspielt.

LEONTINE, *weinerlich, trotzig.* Ick jeh nich mehr bei die Leute, Mama!

FRAU WOLFF, *erstaunt.* Du gehst nich ... *Ironisch.* Ach wo, das ist ja was ganz Neues.

LEONTINE. Na brauch ick mir immer lassen schinden?

FRAU WOLFF *war bemüht, ein Stück Rehwild aus dem Sack hervorzuziehen.* I, schinden tun se dich also bei Kriegers? Nee, so a armes Kind aber ooch! Mit so was komm mer ock uffgezogen! A Frauenzimmer wie a Dragoner ...! Nanu faß an, dort unten a Sack! Du kannst dich woll gar nich tälscher anstellen? Bei mir haste damit kee Glicke nich! 's Faullenzen lernste bei mir erscht recht nich! *Beide hängen den Rehbock am Türpfosten auf.* Nu sag ich dersch aber zum letzten Male ...

LEONTINE. Ick jeh nich mehr bei die Leute hin. Denn jeh ick lieber in't Wasser, Mama!

FRAU WOLFF. Na, daßte ock bloß keen'n Schnuppen krigst.

LEONTINE. Ick spring in't Wasser!

FRAU WOLFF. Da ruff mich ock, heerschte! Ich wer der an Schupps geben, daßte ooch ja und fliegst nich daneben.

LEONTINE *schreit heftig.* Na, brauch ick mir das woll jefallen zu lassen, det ick abens muß Holz rinräumen zwee Meter?

FRAU WOLFF *tut erstaunt.* Nee, 's is woll nich meeglich! Holz sollste reinschleppen! Nee, ieber die Leute aber ooch!

LEONTINE. ... un zwanzig Daler uffs ganze Jahr? Denn soll ick mir ooch noch die Poten verfrieren? Un nich ma satt Kartoffel und Häring?!

FRAU WOLFF. Da red erscht nich lange, tummes Mädel. Da hast a Schlissel, geh, schneid d'r Brot ab. Un wenn de satt bist, scheer dich, verstanden?! 's Flaummus steht in der oberschten Reihe.

LEONTINE *nimmt aus der Schublade ein großes Brot und schneidet davon.* Die Juste von Schulzens kriejt vierzig Daler un . . .

FRAU WOLFF. Renn du bloß mit'n Kopp durch de Wand! Du wirscht bei da Leuten nich ewig bleiben. Du bist ni vermit't fir ewige Zeiten. Meinswegen zieh du zum erschten April. So lange bleibste an Ort und Stelle! — 's Weihnachtsgeschenk in der Tasche, gelt, nu mechste fortloofen? Das is keene Mode! — Ich geh bei da Leuten aus und ein. Das wer ich woll uff mir sitzen lassen!

LEONTINE. Det bißken Lumpe, det ick da anhabe?

FRAU WOLFF. 's baare Geld vergißte woll ganz?

LEONTINE. Jawoll doch! Janze Märker sechse!

FRAU WOLFF. I, Geld is Geld! Das laß du gutt sein!

LEONTINE. Na, wenn ick aber kann mehr verdien'n!?

FRAU WOLFF. Mit'n Maule!

LEONTINE. Nee, mit de Nähmaschine. Ick jeh nach Berlin und nähe Mäntel. Stechowns Emilie jeht ooch seit'n Neujahr!

FRAU WOLFF. Komm du m'r bloß mit der Schlumpe gezogen! Die soll m'r ock unter de Finger loofen! Dem Balge will ich a Talglicht uffstecken! Das wär so a Awasemang fer dich, gelt? Mit a Kerl'n de Nächte verschwiemeln. Nee, Mädel, wenn ich bloß da dran denke: ich hau dich, daßte schonn gar nich mehr uffstehst. — Nu kommt Papa, jetzt nimm dich in Obacht!

LEONTINE. Wenn Papa mir verpaukt, denn loof ick fort; denn wer ick schon sehn, wo ick bleiben du.

FRAU WOLFF. Jetzt maul nich! Geh und futter de Ziegen. Se sind ooch noch nich gemolken den Abend. Un gib a Karnickeln 'ne Hamv'll Heu.

LEONTINE *sucht schnell hinauszukommen, trifft aber in der Tür auf ihren Vater, sagt flüchtig:* 'n Abend *und wischt an ihm vorüber hinaus.*

Julius Wolff, der Vater, ist Schiffszimmermann, von langer Figur, mit blöden Augen und trägen Bewegungen, etwa dreiundvierzig Jahre alt. — Er stellt zwei lange Ruder, die er auf der Schulter getragen, in die Ecke und wirft sein Schiffszimmergerät schweigend ab.

FRAU WOLFF. Haste a Schiffer-Emil getroffen?

JULIUS *brummt.*

FRAU WOLFF. Kannste nich reden? Ja oder nein? Wird a rumkomm, hä?

JULIUS, *unwirsch.* Immerzu doch! Schrei du man noch mehr!

FRAU WOLFF. Du bist schon a kuraschierter Kerl. Dabei da vergißte de Tire zuzumachen.

JULIUS *schließt die Tür.* Was is 'n das wieder mit Leontinen?

FRAU WOLFF. I, gar nischt! — Was hat'n der Emil gelad't?

JULIUS. All widder Klinkern. Wat soll er jelad't hebben? — Wat is det nu widder mit det Mädel?

FRAU WOLFF. De halbe Zille oder de ganze?

JULIUS, *jähzornig aufwallend.* Wat mit det Weibsstück all widder los is!

FRAU WOLFF, *ihn überbietend.* Was Emil gelad't hat, will ich wissen. A halben oder a ganzen Kahn?

JULIUS. I, immerzu doch, de janze Zille.

FRAU WOLFF. Pst, Julian. *Sie erschrickt und riegelt den Laden zu.*

JULIUS, *sie erschrocken anglotzend, schweigt. Nach einigen Sekunden, leise.* 's is all'n junger Förster in Rixdorf.

FRAU WOLFF. Geh, kriech untersch Bette, Julian. *Nach einer Pause.* Wenn du bloß nich a so schrecklich tumm wärscht. Glei wirschte wie so a richt'ger Bremmer. Von solchen Sachen verstehste doch nischt. Laß du mich bloß fer die Mädel sorgen. Das schlägt nich in deine Konferenz. In meine Konferenz geheert das. Bei Jungen wär das ganz was andersch. Da wer ich dir ooch niemals nischt dreinreden. A jedes hat seine Konferenz.

JULIUS. Denn soll se man mir nich jrade in 'n Weg loofen.

FRAU WOLFF. Du willst se woll lahm schlagen, Julian?! Laß du dir ock ja nich aso was einfallen! Denk bloß nich, daß ich aso was zugebe! Ich wer se m'r lassen zu Schanden schlagen. Das Mädel kann unser Glicke sein. Wenn du bloß fer so was a Verstand hätt'st.

JULIUS. Denn soll se man sehn, wo se bleiben dut.

FRAU WOLFF. Da is keene Angst drum, Julian. Kann meeglich sein, du erlebst noch was. Se wohnt noch amal in der Beletage, und wir sein froh, wenn se uns bloß kennt. Was hat'n der Tätsrat zu mir gesagt? Ihre Tochter is so ein scheenes Mädchen, die kann beim Theater Farure machen.

JULIUS. Denn soll se man machen, det se hinkommt.

FRAU WOLFF. Du hast keene Bildung, Julian. Von Bildung hast du ooch keene Spur. Wenn ich ne gewest wär, Julian! Was wär ock aus da Mädeln geworden? Ich hab se gebild't erzogen, verstehste. De Bildung is heutzutage de Hauptsache. Das geht nich a so uff eenen Hieb. Immer eens nach'n andern, a pee a pee. Nu mag se mal erscht a Dienst kenn'nlern. Dann geht se meinswegen rein nach Berlin. Die is heite noch viel zu jung fersch Theater. *Es hat unter dem Vorhergehenden mehrmals an die Tür gepocht, nun klingt*

ADELHEIDS *Stimme herein.* Mama! Mama! mach doch bloß man uff! *Frau Wolff öffnet. Adelheid kommt herein. Sie ist ein langaufgeschossenes Schulmädchen im vierzehnten Jahre, mit hübschem Kindergesicht. Der Ausdruck ihrer Augen aber verrät frühe Verderbnis.* Was machste mir denn nich uff, Mama? Ick hab mir ja Hände und Füße verfroren.

FRAU WOLFF. Red nich erscht lange an Blech zusammen. Mach Feuer in Ofen, da wird der schon warm wern. Wo steckst d'n du ieberhaupt aso lange?

ADELHEID. Ick hab doch de Stiebeln jeholt for Vatern.

FRAU WOLFF. Da biste wieder zwee Stunden geblieben.

ADELHEID. Na, wenn ick um sieben erscht bin jejangen?

FRAU WOLFF. Um sieben biste gegangen, so. Jetzt is 's halb elfe. Das weeßte woll gar nich? Da biste bloß viertehalbe Stunde gewesen, das is woll ni viel? Nu her amal druff, uff das, was ich sage. Bleibst du m'r noch eemal so lange fort und gar bei dem lausigen Fielitzschuster — dann paß amal uff, was d'r da passiert.

ADELHEID. Ick soll wohl bloß immer zu Hause biestern?

FRAU WOLFF. Jetzt biste stille und red'st keen Ton!

ADELHEID. Wenn ick ooch mal bißken zu Fielitzen jeh ...

FRAU WOLFF. Ob de woll stille bist, mecht ich wissen. Lehr du mich Fielitz'n kenn'n! Ja? Der Audiat soll sich ock nich berihmen. Dessen sei Handwerk is ni bloß Schuhflicken. Wenn eener erscht zweemal im Zuchthause sitzt ...

ADELHEID. Det is ja nich wah ... Det is ja bloß alles zusammenjelogen. Er hat et mir ja jesagt, Mama!

FRAU WOLFF. Das weeß dochs ganze Dorf, tumme Gans! Das is a richt'ger Kuppler is das.

ADELHEID. Er jeht ja sojar bein Amtsvorsteher.

FRAU WOLFF. Na freilich doch. Fer Spionierer. A Tenuntiat is a obendruff.

ADELHEID. Wat is'n dat, 'n Tenutiat?

JULIUS, *aus dem Nebenzimmer, in das er gegangen war.* Nu will ick all noch zwei Wörter abwarten. *Adelheid wird bleich und geht gleich stumm daran, Feuer im Ofen zu machen.* LEONTINE *kommt herein.*

FRAU WOLFF *hat den Rehbock aufgebrochen, Herz, Leber usw. herausgenommen und übergibt es Leontine.* Da schnell, wasch ab! Sei bloß ganz still, sonste schlägt's noch ein. *Leontine, sichtlich eingeschüchtert, begibt sich an die Arbeit. Beide Mädchen flüstern miteinander.*

FRAU WOLFF. Hä, Julian? Was machste dadrinne? Du hast's woll schon wieder vergessen, hä? Ich hab dersch doch heute morgen gesagt. Das Brett, was de losgerissen is.

JULIUS. Wat 'n for'n Brett?

FRAU WOLFF. Na, weeßte nich? Hinten am Ziegenstall. Der Wind hat's doch losgemacht gestern nacht — sieh, daßte nauskommst zunageln, verstehste?

JULIUS. I, morjen früh is all ooch noch 'n Dach.

FRAU WOLFF. Nu nee! Da mach der ock keene Gedanken! Mit so was woll'n m'r bei uns nich erscht anfangen. *Julius ist brummend ins Zimmer getreten.* Dort nimm d'r a Hammer! Hier haste Nägel! Nu sieh, daß de fortkommst.

JULIUS. Du bist ja man duslig.

FRAU WOLFF, *ihm nachrufend.* Wenn Wulkow kommt, was soll er'n geben?

JULIUS. Na, Märker zwölwe doch janz jewiß! *Ab.*

FRAU WOLFF, *wegwerfend.* I, Märker zwelwe! *Pause.* Nu macht bloß, daß Papa sein Essen krigt. *Kleine Pause.*

ADELHEID, *auf das Reh blickend.* Wat is'n det, Mama?

FRAU WOLFF. A Klapperstorch! *Beide Mädchen lachen.*

ADELHEID. 'n Klapperstorch? Hat der ooch Hörner? Det weeß ich schon, 'n Rehbock is det!

FRAU WOLFF. Na, wenn de's weeßt, warum frägst'n da erscht?

LEONTINE. Hat den Papa jeschoss'n, Mama?

FRAU WOLFF. Nu rennt ock und schreit durchs ganze Dorf: Papa hat'n Rehbock geschossen, ja!?

ADELHEID. Ick wer mir schön hüten. Denn kommt der Blanke.

LEONTINE. Vor Schandarm Schulzen fürcht ick mir nich, der hat mir schon mal an't Kinn jefaßt.

FRAU WOLFF. Der kann dreiste kommen. Mir tun nischt Beeses. Wenn a Reh 'n Schuß hat und 's is am Verenden und 's findt's kee Mensch, da fressen's de Raben. Ob mirsch nu fressen oder de Raben, gefressen werd's doch. *Kleine Pause.* Nu sag amal: Holz haste soll'n reinräumen?

LEONTINE. Ja, bei die Kälte! Zwee Meter Knüppel! Un wenn man kaputt is wie so'n Hund! Um halber zehne des Abends spät!

FRAU WOLFF. Nu liegt woll das Holz noch uff der Straße?

LEONTINE. Vorn Jachtentor liejt et. Ick weeß weiter nich.

FRAU WOLFF. Na, wenn se nu aber — und stehlen das Holz? Was 'n dann morgen frieh?

LEONTINE. Ick jeh nich mehr hin.

FRAU WOLFF. Sein's griene Knippel oder trockne?

LEONTINE. Det sin so schöne, trockne Knüppel. — *Gähnt ein Mal über das andere Mal.* I, Mama, ick bin so schrecklich müde. Ick hab mir so schrecklich mußt abmarachen. *Sie setzt sich mit allen Zeichen der Übermüdung.*

FRAU WOLFF, *nach kurzem Schweigen.* Meinswegen bleib heute nacht bei uns. Ich hab mersch a bissel andersch ieberlegt. Und morgen früh woll'n m'r weiter sehn.

LEONTINE. Ick bin janz abjekommen, Mama. Det hängt bloß noch allens so an mir.

FRAU WOLFF. Nu mach und geh schlafen, nauf in die Kammer, daß Papa nich etwan doch noch 'n Krach macht. Von solch'n Sachen versteht a zu wenig.

ADELHEID. Papa spricht immer so unjebildet.

FRAU WOLFF. A hat eben keen Bildung gelernt. Das wer mit euch ooch nich andersch sein, wenn ich euch nich hätte gebild't erzogen. *Auf dem Herd eine Kasserolle haltend, zu Leontine.* Nu komm, leg's rein! *Leontine legt die gewaschenen Fleischstücke in die Kasserolle.* So. Jetzt geh schlafen!

LEONTINE *begibt sich ins Hinterzimmer, noch sichtbar spricht sie.* Mama! Der Motes is fort von Krüger.

FRAU WOLFF. Da hat a woll keene Miete bezahlt?

LEONTINE. Mit Hängen und Würjen, sagt Herr Krüger. Er hat ihm aber doch rausjeschmissen. 's wär so'n verlogener, windiger Kerl. Und immer so hochmütig zu Herr Krüger.

FRAU WOLFF. Wenn ich wie Herr Krieger gewesen wär, den hätt ich gar nich so lange behalten.

LEONTINE. Weil Herr Krüger doch Tischler jewesen is, denn is Motes man immer so verächtlich. Mit Herr Doktor Fleischer hat er sich ooch jezankt.

FRAU WOLFF. Na, wer sich mit dem zankt . . .! Das mecht ich wissen. Die Leut tun keener Fliege was!

LEONTINE. Er darf jar nich mehr bei Fleischers hinkomm.

FRAU WOLFF. Wenn du amal kennt'st bei den Leuten ankomm'n!

LEONTINE. Da sind de Mächens wie Kind im Hause.

FRAU WOLFF. Und was der Bruder is in Berlin, der is doch Kassierer beim Theater.

WULKOW *hat mehrmals von außen an die Tür gepocht und ruft nun mit heiserer Stimme.* Wollt ihr mir woll mal jefälligst rinlassen?

FRAU WOLFF. Na freilich, warum nich? Immer rin in de Bude!

WULKOW *kommt herein; ein Spreeschiffer, nahe an sechzig Jahre alt, gebückt gehend, mit graugelbem Bart von Ohr zu Ohr und unter dem Kinn herum, der das verwitterte Gesicht frei läßt.* Ick wünsche schönen juten Abend.

FRAU WOLFF. Nu kommt a doch wieder angezogen, die Wolffen a bissel iebersch Ohr haun.

WULKOW. I, det versuch ick schon ja nich mehr!

FRAU WOLFF. Na, anderscher wird's ja doch wieder nich wern.

WULKOW. Umjekehrt wird'n Schuh draus!

FRAU WOLFF. Noch was! Gelt? — Hier hängt a. Na? A Kapitalsticke, was?

WULKOW. Det Julius man ooch jehörig uffpaßt. Se sin jetzt alle böse hinterher.

FRAU WOLFF. Was woll'n Se'n geben, das ist de Hauptsache. Was nutzt das lange Gequassele da!

WULKOW. Wat ick Ihn sache. Ick komme von Grünau. Da hebb ick et janz bestimmt jehört. Se hebben Fritze Webern jeschossen. Se hebb'n em de Hosen voll Schrot jesenget.

FRAU WOLFF. Was woll'n Se geben, das is de Hauptsache.

WULKOW, *das Reh befühlend.* Ick hebbe man schon vier Böcke zu liejen.

FRAU WOLFF. Derwegen da geht eure Zille nich unter.

WULKOW. Det soll se ooch nich. Det wär so'n Fest. Aber wat 'n dann, wenn ick nu liejenbleibe? Ick muß mit die Dinger doch rin nach Berlin. Et arbeet heut all schlecht jenug uff de Spree, und wenn et de Nacht so weiter backt, denn jibt et morjen schon ja keen Fortkomm. Denn sitz ick im Eise mit mein Kahn und hebbe die Dinger uff'm Halse.

FRAU WOLFF, *scheinbar ihren Entschluß ändernd.* Na, Mädel, spring amal runter zu Schulzen. Sag'n scheenen Gruß, und a soll amal ruffkomm'n, de Mutter hätte was zu verkoofen.

WULKOW. Hebb ick jesacht, ick will et nich koofen?

FRAU WOLFF. Mir is das ja ganz eengal, wersch kooft.

WULKOW. Ick will et ja koofen.

FRAU WOLFF. I, wer de ni will, der läßt's halt bleiben.

WULKOW. Ick koofe det Stick! Wat soll et denn bringen?

FRAU WOLFF, *das Reh anfassend.* Das Reh hier, das hat seine dreißig Fund. Aber gutt un gerne kann ich Ihn sagen. Na, Adelheid! Du warscht doch dabei! Mir konnten's doch kaum uff a Nagel heben.

ADELHEID, *welche ja nicht dabei war.* Ick habe mir richtig wat ausjerenkt.

WULKOW. Mit Märker dreizehn is et bezahlt. Da verdien ick ooch noch nich zehn Fennije bei.

FRAU WOLFF *tut fürchterlich erstaunt; im nächsten Augenblick nimmt sie etwas anderes vor. Als hätte sie Wulkows Anwesenheit vergessen, spricht sie, ihn scheinbar erst wieder gewahrend.* Ich winsch Ihn ooch eine glickliche Reise!

WULKOW. Na, mehr wie dreizehn kann ick nich jeben.

FRAU WOLFF. I, lassen Se's man!

WULKOW. Ick kann nich mehr jeben. Wat ick Ihn'n sage. Et is bloß, det ick die Kundschaft behalte. Jott soll mich strafen! So wah, wie ick hier steh. Bei det janze Jeschäft verdien ick nich so viel. Un wenn ick ooch sagen wollte: vierzehn, denn setz ick zu, denn hebb ick Verlust von eene Mark. Det soll mir aber nu janz ejal sind. Det ihr all 'n juten Willen seht. For Märker vierzehn . . .

FRAU WOLFF. Lußt's gutt sein! Lußt's gutt sein! Das Reh werd'n m'r los, da warten m'r noch nich bis morgen frieh.

WULKOW. Na, wenn et man keener hängen sieht. Det is nich mit Jelde abzumachen.

FRAU WOLFF. Das Reh hier, das hab mir verendet gefunden.

WULKOW. Ja, in de Schlinge, det will ick jlooben!

FRAU WOLFF. Kommt bloß nich uff die Art! Da habt Ihr ke Glicke! Ma soll euch woll all's in a Rachen schmeißen? Ma schind't sich, bis ma keen Oden mehr hat. Stundenlang muß ma baden im Schnee, geschweige was ma dabei riskiert, im Stockbrandfinstern. Das is kee Spaß.

WULKOW. Ick hebbe man schon Sticker viere zu liejen. Sonst wollt ick ja sagen funfzehn Mark.

FRAU WOLFF. Nee, Wulkow, heute is kee Geschäfte mit uns. Da geht ock ruhig a Häusel weiter, mir hab'n uns geschind't hier ieber a See . . . ee Haar, da saß m'r noch fest im Eise. Mir konnten nich vorwärts und nich rückwärts. Aso was kann ma zuletzt nich wegschenken.

WULKOW. Na, hebb ick nu etwa jroß wat davon? Det Schiffwerken is 'n jezwungenes Werk! Un Paschen, det is 'n schlechtet Jeschäft. Wenn ihr all rinfallt, denn flieg ick schon längst rin. Bei Jahre vierzig plag ick mir nu. Wat hebb ick heute? 't Reißen hebb ick. Wenn ick det Morjens früh uffsteh, denn muß ick schriegen wie'n junger Hund. Ick will mir schon viele Jahre 'n Pelz koofen, det hebben mir alle Dokters jeraten, weil det ick so leidenschaftlich bin. Ick hebb mir noch keen könn koofen, Wolffen. Bis heute noch nich, so wah, wie ick hier steh!

ADELHEID, *zur Mutter*. Haste von Leontinen jehört?

WULKOW. Na, will ick man sagen: sechzehn Mark!

FRAU WOLFF. Nee, is nich! Achtzehn! *Zu Adelheid*. Wat redst'n da wieder?

ADELHEID. Frau Krüger hat doch 'n Pelz jekauft, der hat bei fünfhundert Mark gekost't. 'n Biberpelz.

WULKOW. 'n Biberpelz?

FRAU WOLFF. Wer hat'n gekooft?

ADELHEID. Nu Frau Krüger doch, für Herr Krüger zu Weihnachten.

WULKOW. Det Mächen is woll bei Krüger in Dienst?

ADELHEID. Ick nich. Meine Schwester. Ick jeh überhaupt nich bei Leute in Dienst.

WULKOW. Ja, wenn ick nu so wat mal hebben könnte. Um so wat erwerb ick mir schon lange. Da jeb ick ooch sechzig

Dahler für. Det Doktor- und Apothekerjeld, det jeb ick doch lieber für Pelzwerk aus. Da hebb ick ooch noch'n Verjnüjen all.

FRAU WOLFF. Ihr braucht ja bloß amal hingehn, Wulkow, zu Kriegern rieber. Vielleicht schenkt a'n weg.

WULKOW. Nee, jutwillig nich. Aber wie jesacht: fer so wat verinteressier ick mir sehr.

FRAU WOLFF. I ja, so'n Pelz mecht ich ooch mal haben.

WULKOW. Wie is et nu? Sechzehn?

FRAU WOLFF. Unter achtzehn is nich. Nich unter achtzehn, hat Julian gesagt. Mit sechzehn Mark darf ich dem nich erscht kommen. Wenn der sich asowas in a Kopp setzt — *Julius kommt herein.* Na, Julius, du hast doch gesagt: achtzehn Mark?

JULIUS. Wat hebb ick jesacht?

FRAU WOLFF. Du heerscht woll wieder amal nich gutt! Du hast doch gesagt, nich unter achtzehn. Um weniger soll ich den Bock doch nich hergeben.

JULIUS. Ick hebbe jesacht? . . . Ja so, det Stück Wild. Ja! So! Hm! Det is ooch noch ja nich zu ville.

WULKOW, *Geld herausnehmend und aufzählend.* Det's nu mal 'n Ende hat. Siebzehn Marcht. Na, stimmt et nu?

FRAU WOLFF. Ihr seid schon eemal a beschissener Kerl. Ich hab's ja gesagt, wie a reinkam zer Tiere: der braucht bloß ieber de Schwelle zu treten, da hat ma ooch schonn a Ding iebersch Ohr.

WULKOW *hat einen versteckt gehaltenen, eingerollten Sack aufgewickelt.* Nu helft et man jleich hier rinbugsieren. *Frau Wolff ist behilflich, das Reh in den Sack zu stecken.* Un wenn Se all mal wat zu hören kriejen von sowat — ick meen all beispielsweise so'n Pelz zum Beispiel. So Stücker sechzig, siebzig Dahler, die bin ick imstande und leje se an.

FRAU WOLFF. Ihr seid woll ni recht . . .! Wie soll'n mir zu so an Pelze komm'n?

EINE MÄNNERSTIMME *ruft von außen.* Frau Wolffen! Frau Wolffen! Sind Se noch wach?

FRAU WOLFF, *wie die andern erschrocken, heftig, gepreßt.* Fix wegstecken! wegstecken, rein in de Stube! *Sie drängt alle in das Hinterzimmer und schließt die Tür.*

DIE MÄNNERSTIMME. Frau Wolffen! Frau Wolffen, schlafen Se schon?

FRAU WOLFF *löscht das Licht.*

DIE MÄNNERSTIMME. Frau Wolffen! Frau Wolffen, sind Se noch wach? *Die Stimme entfernt sich singend.* Morgenrot, Morgenrot, leuchtest mir zum frühen Tod.

LEONTINE. Det is ja bloß Morjenrot, Mama!

FRAU WOLFF *horcht eine Weile, öffnet dann leise die Tür und horcht wieder. Dann schließt sie beruhigt und zündet das Licht an. Hierauf läßt sie die andern wieder herein.* 's war bloß d'r Amtsdiener Mitteldorf.

WULKOW. Wat Deibel, ihr hebbt ja schöne Bekenntschaft!

FRAU WOLFF. Nu seht aber, daß 'r fortkommt, Wulkow.

ADELHEID. Mama, der Mino hat anjeschlagen.

FRAU WOLFF. Macht, macht, Wulkow. Federt! Und hinten naus durch a Gemiesegarten. Julian wird uffmachen. Geh, Julian, mach uff!

WULKOW. Un wie jesacht, wenn so wat mal wär wie so'n Biberpelz —

FRAU WOLFF. Na freilich, macht bloß! . . .

WULKOW. Wenn die Spree all nich zu wird, denn bin ick in Stücker drei, vier Tagen all widder retur von Berlin. Da lieje ick mit mein Kahn widder unten.

ADELHEID. An die jroße Brücke?

WULKOW. Wo ick immer lieje. Na, Julius, denn wanke man immer vorauf. *Ab.*

ADELHEID. Mama, der Mino hat wieder jebellt.

FRAU WOLFF, *am Herd.* I, lass'n bellen. — *Ein langgezogener Ruf aus der Ferne:* »Hol über!«

ADELHEID. 't will jemand über die Spree, Mama.

FRAU WOLFF. Na, geh mal, Papa is ja unten am Wasser. »Hol über!« Trag Papan de Rudel. Er soll bloß erscht Wulkown a Stickel fortlassen.

Adelheid ab mit den Rudern. Frau Wolff ist eine Weile eifrig arbeitend allein. Adelheid kommt wieder.

ADELHEID. Papa hat'n Rudel unten im Kahn.

FRAU WOLFF. Wer will denn so spät noch iebersch Wasser?

ADELHEID. Ick jloobe, Mama, 't is der dämliche Motes.

FRAU WOLFF. Was? Wer is's, Mädel?

ADELHEID. Ick jloobe, de Stimme war Motesens Stimme.

FRAU WOLFF, *heftig.* Geh runter, lauf! Papa soll ruffkomm;
der dämliche Motes kann drieben bleiben. Der braucht mir
nich erscht im Hause rumschniffeln.

*Adelheid ab. Frau Wolff versteckt und räumt alles beiseite,
was an die Rehbock-Episode etwa erinnern könnte. Über die
Kasserolle deckt sie eine Stürze. Adelheid kommt zurück.*

ADELHEID. Mama, ick bin schon zu spät jekomm. Ick hör se
schon reden.

RAUL WOLFF. Wer is's denn nu?

ADEFHEID. Ick sag et ja: Motes.

*Frau und Herr Motes erscheinen nacheinander in der Tür.
Beide mittelgroß. Sie: gewckte, junge Frau von etwa dreißig
Jahren, bescheiden, aber ordentlich gekleidet. Er hat einen
grünen Jagdüberzieher an, sein Gesicht ist gesund und un-
bedeutend, er trägt über dem linken Auge eine schwarze
Binde.*

FRAU MOTES *ruft herein.* Nase blau jefroren, Mutter Wolffen!

FRAU WOLFF. Warum gehn Se spazieren in der Nacht. Sie
hab'n doch am Tage Zeit genug.

MOTES. Schön warm is 's hier. — Wer hat Zeit am Tage?

FRAU WOLFF. Na Sie!

MOTES. Ick lebe wohl etwa von meine Renten?

FRAU WOLFF. Das weeß ich ja nich, von was Sie leben.

FRAU MOTES. I, sein Se man bloß nich so glupsch, Mutter
Wolffen. Wir wollten mal fragen nach unsere Rechnung.

FRAU WOLFF. Da hab'n Se mich schon mehr wie eemal gefragt.

FRAU MOTES. Na, frag'n wir noch mal, was is denn dabei?
Wir müssen doch endlich mal bezahlen.

FRAU WOLFF, *erstaunt.* Bezahlen wollen Sie?

FRAU MOTES. Jewiß doch. Natürlich!

MOTES. Die Mutter Wolffen tut ganz erstaunt. Sie dachten
wohl, wir würden Ihn'n durchbrennen?

FRAU WOLFF. I, sowas wer ich doch woll nich denken. Wenn
Se woll'n aso gutt sein! Da machen mersch gleiche. 's sein
also elf Mark und dreißig Fennige.

FRAU MOTES. Ja, ja, Mutter Wolffen, wir kriegen Geld. Die
Leute werden hier Augen machen!

MOTES. Das riecht ja hier so nach Hasenbraten.

FRAU WOLFF. Dachhase vielleicht! Das is eher meeglich!

MOTES. Woll'n gleich mal nachschauen! *Er will den Deckel von der Kasserolle nehmen.*

FRAU WOLFF *verhindert ihn.* Toppgucken is nich!

FRAU MOTES, *die mißtrauisch beobachtet hat.* Mutter Wolffen, wir haben auch was gefunden.

FRAU WOLFF. Ich hab nischt verloren.

FRAU MOTES. Da, sehn Se mal zu. *Sie zeigt ihr zwei Draht-schlingen.*

FRAU WOLFF, *ohne aus der Fassung zu geraten.* Das sein woll Schlingen?

FRAU MOTES. Die haben wir ganz in der Nähe gefunden. Kaum zwanzig Schritte von Ihrem Garten.

FRAU WOLFF. Ihr Kinder, was hier bloß gewilddiebt wird!

FRAU MOTES. Wenn Sie bloß aufpassen, Mutter Wolffen, da kenn Se den Wilddieb richtig mal fassen.

FRAU WOLFF. I, solche Sachen gehn mich nischt an!

MOTES. Wenn ich bloß so'n Hallunken mal treffe, dem geb' ich zuerst 'n paar hinter die Ohren — dann bring' ich ihn unbarmherzig zur Anzeige.

FRAU MOTES. Frau Wolffen, haben Sie 'n paar frische Eier?

FRAU WOLFF. Jetzt, mitten im Winter? Die sind gar rar.

MOTES, *zu Julius, der eben eintritt.* Förster Seidel hat wieder 'n Wilddieb jefaßt. Wird morgen nach Moabit jebracht. Hat Schneid, der Kerl, das muß man sagen. Wenn ich bloß nicht das Malheur gehabt hätte, da könnt' ich heut Oberförster sein. Dann würd' ich die Hunde noch anders zwiebeln!

FRAU WOLFF. Das hat manch einer schon bießen missen!

MOTES. Ja, wer sich fürchtet. Ich fürcht' mich nicht! Ich hab' auch schon so'n paar denunziert. *Die Wolffen und ihren Mann abwechselnd scharf fixierend.* Und mit'n paar andern wart' ich bloß noch; die laufen mir auch noch in die Hände. Die Schlingenleger soll'n nur nich denken, daß ich se nich kenne. Ich kenn' sie genau!

FRAU MOTES. Haben Sie vielleicht gebacken, Frau Wolffen? Uns is das Bäckerbrot so zuwider.

FRAU WOLFF. Se wollten doch, denk ich, de Rechnung aus-gleichen.

FRAU MOTES. Ick sage Ihn'n ja, Sonnabend, Mutter Wolffen. Mein Mann ist doch Redakteur geworden von den Blättern für Jachd und Forstwirtschaft.

FRAU WOLFF. Na ja, das weeß ich schonn, was das heeßt.

FRAU MOTES. Na, was ich Ihn'n sage, Frau Wolffen. Wir sind ja von Krüger schon wegjezogen.

FRAU WOLFF. Ja, weil Se mußten, sind Se gezogen.

FRAU MOTES. Wir mußten? Du, Männe, hör doch mal! *Sie lacht gezwungen.* Frau Wolff sagt, wir mußten von Krüger fortziehen!

MOTES, *rot vor Zorn.* Weshalb ich dort fortgezogen bin, das werden Sie schon noch mal erfahren. Der Mann ist'n Wucherer und Halsabschneider.

FRAU WOLFF. Das weeß ich nich. Dazu kann ich nischt sagen.

MOTES. Ich warte nur, bis ich Beweise habe. Der soll sich vor mir nur ja in acht nehmen. Der und sein Busenfreund Doktor Fleischer. Der ganz besonders. Wenn ich bloß wollte: ein Wort genügte, da säß' der Mann hinter Schloß und Riegel. *Schon im Anfang seiner Rede hatte er sich zurückgezogen, bei den letzten Worten geht er hinaus. Ab.*

FRAU WOLFF. Die Männer han sich woll wieder gezankt?

FRAU MOTES, *scheinbar vertraulich.* Mit meinem Manne is nich zu spaßen. Wenn der sich was vornimmt, der läßt nicht locker. Er steht auch sehr gut mit'n Herrn Amtsvorsteher. — Wie is's mit die Eier und mit dem Brot?

FRAU WOLFF, *widerwillig.* Na, fünfe hab ich grade noch liegen. Und a Sticke Brot. *Frau Motes packt die Eier und das halbe Brot in ihren Handkorb.* Sind Se nu zufrieden?

FRAU MOTES. Jewiß doch. Freilich. Jut sind doch die Eier?

FRAU WOLFF. So jut, wie se meine Hiehner jelegt haben.

FRAU MOTES, *hastig, um ihrem Mann nachzukommen.* Na, jute Nacht! Nächsten Sonnabend Jeld! *Ab.*

FRAU WOLFF. Ja doch, ja doch, 's is ja schonn gutt! *Schließt die Tür, halblaut.* Macht, daß d'r 'nauskommt. Bei allen Leiten bloß nischt wie Schulden. *An der Kasserolle.* Was geht's bloß die an, was wir essen? Die soll'n doch in ihre Teppe gucken. Geh schlafen, Mädel.

ADELHEID. Jute Nacht, Mama. *Gibt ihr einen Kuß.*

FRAU WOLFF. Na, jibste Papan keen Gutenachtkuß?

ADELHEID. Jute Nacht, Papa. *Küßt ihn, er brummt; Adelheid ab.*

FRAU WOLFF. Das muß ma immer erscht extra sagen. *Pause.*

JULIUS. Was mußte die Leite alle Eier jeben?

FRAU WOLFF. Ich soll m'r den Kerl woll zum Feinde machen?

Mach du d'r ock den zum Feinde, Julian. Ich sag der, das
is a gefährlicher Kerl. Der hat nischt zu tun wie a Leuten
uffpassen. Komm, setz dich! Iß! Hier haste 'ne Gabel. Von
solchen Sachen verstehste zu wenig. Paß lieber uff deine
Sachen uff! De Schlingen legste gleich hinter a Garten!
Das waren doch deine?

JULIUS, *geärgert.* Na, immerzu.

FRAU WOLFF. Daß der dämliche Motes se ooch gleich find't.
Hier in der Nähe am Hause, verstehste, da legste m'r keene
Schlingen mehr. Womeeglich heeßt's dann, mir hab'n se
gelegt.

JULIUS. Hör du bloß mit det Gequaßle uff! *Beide essen.*

FRAU WOLFF. Du, 's Holz is ooch alle, Julian.

JULIUS. Ick soll woll noch jehn bis in Hinterwinkel?

FRAU WOLFF. Am besten wärsch, m'r machten's gleich ab.

JULIUS. Ick spüre de Knochen schon jar nich mehr. Mag jehn,
wer will, det is mich eenjal!

FRAU WOLFF. Ihr Männer habt immer a großes Maul, und
wenn's derzu kommt, da kennt er nischt leisten. Ich arbeit
euch dreimal in a Sack un wieder raus, euch alle mitnander.
Wenn de heite und de willst durchaus nich mehr raus, hilft
alles nischt, Julian, morgen mußte. Wie is 's, sein de Kletter-
eisen scharf?

JULIUS. Ick hebbe se Machnow Karln jeborcht.

FRAU WOLFF, *nach einer Pause.* Wenn du bloß nich aso feige
wärscht! Da hätt'n m'r schonn schnell a paar Meter Holz!
Da braucht m'r uns gar nich erscht so schinden. Da braucht
m'r ooch gar nich erscht weit zu gehn.

JULIUS. Laß mir man essen 'n Happen, ja!

FRAU WOLFF *gibt ihm ein Kopfstück.* Nu sei bloß nich immer
so miseldrähtig. Ich will amal gutt sein, paß amal uff! *Eine
Flasche Schnaps hervorholend und zeigend.* Hier! Siehste,
das hab ich der mitgebracht. Nu machste ooch glei a freindlich Gesichte! *Gießt ihrem Manne ein Glas voll.*

JULIUS *trinkt; nachher.* Det is . . . bei die Kälte is det all janz
jut!

FRAU WOLFF. Na, siehste woll! Sorg ich nu etwa fer dich?

JULIUS. Janz jut war det. Det war janz jut! *Er gießt sich aufs
neue ein und trinkt.*

FRAU WOLFF, *nach einer Pause, Holz spaltend, dazwischen hie und da einen Bissen essend.* Der Wulkow — das is a rechter Hallunke. A tutt doch immer, als wenn's 'n schlecht ginge.

JULIUS. Der soll man still sind, all der mit sein Handel.

FRAU WOLFF. Du hast doch geheert, mit dem Biberpelz.

JULIUS. Ick hebb nischt jehört all.

FRAU WOLFF, *gezwungen leichthin.* 's Mädel erzählte doch von d'r Frau Kriegern, se hat doch 'm Krieger an Pelz geschenkt.

JULIUS. Die Leite hebben's ja, det . . .

FRAU WOLFF. Na ja, da meente doch Wulkow . . . Du hast's doch geheert! Wenn a so an Pelz amal kriegen kennte, da wollt a gleich sechzig Taler geben.

JULIUS. Der soll sich all selber de Finger verbrenn.

FRAU WOLFF, *nach einer Pause, ihrem Manne eingießend.* I, trink man noch eenen!

JULIUS. Denn immer . . . immer zu . . . all . . . wat . . .

FRAU WOLFF *holt ein Oktavbüchelchen hervor und blättert darin.*

JULIUS. Wieviel hebben wir denn seit Juli verdrübert?

FRAU WOLFF. Halt dreißig Taler sein abgezahlt.

JULIUS. Dann bleiben noch all — all . . .?

FRAU WOLFF. Sein immer noch sibzig. Ma kommt halt uff die Art gar nich recht weiter. So fufzig — sechzig Taler uff eemal, wenn ma die uff eemal so hinleg'n kennte. Da wär doch d'r Grund und Boden bezahlt. Da kennt ma so hundert bis zwee wieder uffnehmen und vielleicht a paar hibsche Stub'n uffbaun. An Sommergast kenn m'r doch so nich uffnehmen: und Sommergäste, die bringen's hauptsächlich.

JULIUS. Na, immer zu — all —

FRAU WOLFF, *resolut.* Du bist a zu langsamer Mensch, Julian. Hättst du woll das Grundstick gekooft, hä? Nu? Und wenn mersch jetzt wieder wollten verkoofen, da kennt m'r schonn 's Doppelte kriegen. Ich hab ne ganz andere Temperatur. Wenn du bloß meine Temperatur hättst . . .

JULIUS. Ick arbeete doch — wat nützt denn det alles!

FRAU WOLFF. Mit dem bissel Arbeiten wirschte weit komm.

JULIUS. Ick kann doch nich stehlen. Ick soll woll all rinfallen.

FRAU WOLFF. Du bist eben tumm und mußt ooch tumm bleiben. Hier hat kee Mensch von stehl'n geredt. Wer halt nich wagt, der gewinnt ooch nich. Und wenn de erscht reich bist, Julian, und kannst in der Eklipage sitzen, da fragt dich kee Mensch nich, wo de's her hast. Ja, wenn ma's

von armen Leiten nähme! Aber wenn m'r nu wirklich —
und gingen zu Kriegern und lad'ten de zwee Meter Holz
uff a Schlitten und stellten se drum bei uns in a Schuppen,
da sein de Leite noch lange nich ärmer.

JULIUS. Holz? Wat soll det nu widder sin — mit det Holz?

FRAU WOLFF. Du bekimmerscht dich eben reene um gar
nischt. Deine Tochter, die kann ma zu Tode schinden. Holz
hat se soll'n reinräumen, abens um zehne, un deswegen is
se davongeloofen. Aso was läßt du d'r ruhig gefall'n. Womeeglich gibbste dem Kinde Kallasche und jagst se noch zu
da Leiten zuricke.

JULIUS. Jewiß doch! — Tu ick! Det sollt mir infall'n . . .

FRAU WOLFF. Bei sowas muß immer 'ne Strafe sein. Wer mich
haut, sprech ich, den hau ich wieder —

JULIUS. Na, hebb'n se all det Mächen jehaut?

FRAU WOLFF. Na, wenn se is fortgeloofen, Julian?! Nee, nee,
mit dir is nischt anzufang'n. Nu liegt das Holz uff d'r Gasse
draußen. Na, wenn ich nu sagte, m'r woll'n gehn, schind'st
du meine Kinder, da nehm ich dei Holz — du wärscht m'r
a scheenes Gesichte schneiden.

JULIUS. Det will ick man ja nich . . . Wat ick mir vor koofe.
Ick kann ooch all mehr wie Brot essen. I, ick will mir det
ausjebeten hebb'n, det sowat . . . det schlagen nich mehr
vorkommt.

FRAU WOLFF. Nu rede nich erscht und hol deine Strippe. Zeig
lieber a Leiten, daß de Krien hast. In eener Stunde is alles
gemacht. Dann gehn m'r schlafen, und damit gutt. Und
morgen brauchste nich in a Wald, da hab'n m'r Holz, mehr
wie m'r brauchen.

JULIUS. Na, wenn et rauskommt, mir is et eenjal.

FRAU WOLFF. Warum nich gar! Weck bloß nich de Mädel.

MITTELDORF, *von außen.* Frau Wolffen, Frau Wolffen, sind Se
noch wach?

FRAU WOLFF. Na freilich, Mitteldorf, komm Se ock rein! *Sie
öffnet die Tür.*

MITTELDORF *tritt ein, im abgetragenen Dienstanzug und Über-
zieher. Sein Gesicht hat etwas Mephistophelisches. Seine Nase
zeigt alkoholische Rötung. Er ist in seinem Auftreten sanft,
fast schüchtern. Er spricht langsam und schleppend und ohne
eine Miene zu verziehen.* Ju'n Abend, Frau Wolffn.

FRAU WOLFF. Gu'n Nacht, woll'n Se woll sagen.

MITTELDORF. Ick bin schon vorhin mal hier jewesen. Erst war es mir so: ick sähe Licht, denn war et mit eenmal jänzlich dunkel. 't hat mir ooch keener weiter jeantwort. Nu hab ick et aber janz deitlich jesehn, dat diesmal Licht wa, un da komm ick noch ma.

FRAU WOLFF. Was bringen Se mir denn nu, Mitteldorf?

MITTELDORF *hat sich gesetzt, sinnt eine Weile und spricht dann.* Deswegen bin ick ja herjekomm. Ick habe was von de Frau Amtsvorsteher.

FRAU WOLFF. Ich soll woll waschen kommen, hä?

MITTELDORF *zieht die Augenbrauen nachdenklich herauf, spricht dann:* Jawoll!

FRAU WOLFF. Wenn d'nn da?

MITTELDORF. Morjen. — Morjen früh.

FRAU WOLFF. Das sagen Se m'r in der Nacht um zwelwe?

MITTELDORF. Et is morjen Waschdach bei de Frau Vorsteher.

FRAU WOLFF. Das muß ma doch a paar Tage vorher wissen.

MITTELDORF. Jewiß doch. Machen Se man keen Lärm. Ick hab et mal wieder verjessen jehabt. Mir jeht so ville in Kopp herum, det ick eemal so wat zu leicht verschwitze.

FRAU WOLFF. Na, Mitteldorf, da wer ich's schon einrichten. Mir stehn ja uff gutem Fuße mitnander. Sie hab'n a so schonn genung uff'm Puckel mit Ihren elf Kindern zu Hause, gelt? Was brauchen Sie sich noch schlecht machen lassen!

MITTELDORF. Wenn Se morjen nich komm, Mutter Wolffen, denn jeht et mir madich schlecht morjen früh.

FRAU WOLFF. Ich wer schon komm, lassen Se's gutt sein. Da, trinken S' amal! Ma kann's gebrauchen. *Sie gibt ihm Grog.* Ich hatte noch grade a bissel heeß Wasser. Mir gehn nämlich heite noch uff de Reise. Nach fetten Gänsen nieber uff Treptow. Am Tage hat ma doch keene Zeit. 's is doch nu eemal nich andersch bei uns. A Armes schind't sich halt Tag und Nacht. A Reiches liegt derfire im Bette.

MITTELDORF. Ick bin jekündigt, wissen Se schon? Der Amtsvorsteher hat mir jekündigt. Ick bin nich scharf jenug uff de Leute.

FRAU WOLFF. Da soll eens woll sein wie a Kettenhund?

MITTELDORF. Ick jinge am liebsten ja nich zu Hause; denn

wenn ick komme, denn jibt et Zank. Denn weeß ick mir nich zu retten vor Vorwürfe.

FRAU WOLFF. I, halten Se sich de Ohren zu!

MITTELDORF. Nu jeht man mal 'n bißken in't Wirtshaus, det de Sorjen een nich janz unterkriejen: det soll man nu ooch nich. Ja nischt soll man! Nu hab ick heute wieder jesessen, 't hat all eener uffjelegt 'n Fäßchen. —

FRAU WOLFF. Sie wern sich doch vor an Weibe nich ferchten. Wenn se halt schimpft, denn schimpfen Se wieder, und wenn se haut, denn haun Se wieder. Nu komm Se mal her, Sie sind länger wie mir. Nu lang Se amal das Kupsel da runter. Du, Julian, mach d'r a Schlitten zurecht. *Julius ab.* Wie ofte soll ich d'r das d'nn sag'n. *Mitteldorf holt von einem hohen Wandbrett Strippen und Zugstricke herunter.* A großen Schlitten machste zerechte. De Strippen geben Se ooch gleich runter.

JULIUS, *von außen.* Ick kann nich sehn.

FRAU WOLFF. Was kannste nich?

JULIUS *erscheint in der Tür.* Ick kann den Schlitten alleene nich rauskriejen. Et liejt ja drunter und drüber allens. Un ohne Licht jeht et nu schon janich.

FRAU WOLFF. Du weeßt d'r nu eemal schonn keen Rat. *Sie schlingt sich hastig Brust- und Kopftuch um.* Na wart ock, ich wer der helfen komm. Dort de Laterne, Mitteldorf! *Mitteldorf nimmt mühsam eine Laterne herunter und gibt sie Frau Wolff.* So, dank scheen! *Sie steckt das Licht in die Laterne.* Das steck m'r hier rein, und nu kenn m'r gehn. Jetzt wer ich d'r helfen a Schlitten rausziehn. *Sie geht mit der Laterne voran. Mitteldorf folgt. In der Tür wendet sie sich und übergibt Mitteldorf die Laterne.* Sie kenn uns a bissel leichten d'rzu!

MITTELDORF, *leuchtend und vor sich hinsingend ab.* Morgenro-ot, Morgenro-ot . . .

ZWEITER AKT

Amtszimmer beim Amtsvorsteher von Wehrhahn: großer, weißgetünchter, kahler Raum mit drei Fenstern in der Hinterwand. In der linken Wand die Eingangstür. An der Wand rechts der lange Amtstisch mit Büchern, Akten usw. belegt;

*hinter ihm der Stuhl für den Amtsvorsteher. Am Mittelfenster
Tisch und Stuhl für den Schreiber. Ein Schrank aus weichem
Holz vorn rechts, dem Amtsvorsteher, wenn er auf dem Stuhl
sitzt, zur Hand, enthält die Bücher. Aktenregale verkleiden
die Linkswand. Sechs Stühle stehen ganz vorn, von der Linkswand an in einer Reihe. Man sieht die eventuell Darauf-
sitzenden von rückwärts. — Es ist ein heller Wintervormittag.
Der Schreiber Glasenapp sitzt kritzelnd auf seinem Platz. Er
ist eine dürftige, bebrillte Persönlichkeit. Amtsvorsteher von
Wehrhahn, ein Aktenfaszikel unterm Arm, tritt schnell ein.
Wehrhahn ist gegen vierzig Jahre alt und trägt ein Monokel.
Er macht den Eindruck eines Landjunkers. Seine Amtstracht
besteht aus einem schwarzen, zugeknöpften Gehrock und hohen,
über die Beinkleider gezogenen Schaftstiefeln. Er spricht nahe-
zu im Fistelton und befleißigt sich militärischer Kürze im
Ausdruck.*

WEHRHAHN, *nebenhin, wie ein Überbürdeter.* Mojen!

GLASENAPP, *steht auf.* Jehorsamer Diener, Herr Amtsvorsteher.

WEHRHAHN. Was vorjefall'n, Glasenapp?

GLASENAPP, *stehend in Papieren blätternd.* Habe zu melden,
Herr Amtsvorsteher — Da war zuerst . . . ja! Der Jastwirt
Fiebig. Er bittet um die Erlaubnis, Herr Vorsteher, am
nächsten Sonntag Tanzmusik abhalten zu dürfen.

WEHRHAHN. Ist das nicht . . . sagen Sie doch mal: Fiebig? hat
einer doch neulich den Saal herjejeben . . .?

GLASENAPP. Für die Freisinnigen. Zu Befehl, Herr Baron!

WEHRHAHN. Derselbe Fiebig?

GLASENAPP. Jawohl, Herr Baron!

WEHRHAHN. Dem woll'n wir mal bißchen Kandare anlegen!
Amtsdiener Mitteldorf tritt ein.

MITTELDORF. Jehorsamster Diener, Herr Baron!

WEHRHAHN. Hören Sie mal: ein für allemal — im Dienste bin
ich der Amtsvorsteher.

MITTELDORF. Jawohl. Zu Befehl, Herr Bar- Herr Amtsvorsteher, wollt' ich sagen.

WEHRHAHN. Nun merken Sie sich das endlich mal: daß ich
Baron bin, ist Nebensache. Kommt hier wenigstens gar nicht
in Betracht. *Zu Glasenapp.* Nun bitte, ich möchte weiter
hören. War denn der Schriftsteller Motes nicht da?

GLASENAPP. Jawohl, Herr Amtsvorsteher.

WEHRHAHN. So. War also da? Da bin ich doch außerordentlich neugierig. Er wollte doch hoffentlich wiederkommen?

GLASENAPP. So gegen halb zwölwe will er wieder hier sein.

WEHRHAHN. Hat er Ihnen vielleicht was gesagt, Glasenapp?

GLASENAPP. Er kam in Sachen des Doktor Fleischer.

WEHRHAHN. Nun sagen Sie doch mal, Glasenapp, ist Ihnen der Doktor Fleischer bekannt?

GLASENAPP. Ich weiß nur: er wohnt in der Villa Krüger.

WEHRHAHN. Wie lange ist der Mann schon am Ort?

GLASENAPP. Zu Michaeli bin ich gekommen.

WEHRHAHN. Na ja, Sie kamen mit mir zugleich, ich bin jetzt zirka vier Monate hier.

GLASENAPP, *mit einem Blick auf Mitteldorf.* Ich denke, der Mann muß zwei Jahre hier sein.

WEHRHAHN, *zu Mitteldorf.* Sie können ja wohl keine Auskunft geben.

MITTELDORF. Zu dienen — Michaeli vorm Jahr.

WEHRHAHN. Wie? Ist der Mann da hierhergezogen?

MITTELDORF. Zu dienen, von Berlin, Herr . . . Herr Amtsvorsteher.

WEHRHAHN. Ist Ihnen der Mensch vielleicht näher bekannt?

MITTELDORF. Ich weiß bloß, een Bruder is Theaterkassierer.

WEHRHAHN. Ich habe ja nicht nach dem Bruder gefragt. Was treibt der Mann? Was tut er? Was ist er?

MITTELDORF. Da kann ich nu ooch nischt Genaues sagen. Bloß det er krank is, det sagen de Leute. Er leidet ja wohl an de Zuckerkrankheit.

WEHRHAHN. An was der Mann leidet, is mir egal. Der kann Sirup schwitzen, wenn's ihm Spaß macht. — Was ist er?

GLASENAPP *zuckt die Achseln.* Er nennt sich Provatjelehrter.

WEHRHAHN. Pri! Pri! nicht Pro — Privatgelehrter.

GLASENAPP. Der Buchbinder Hugk hat Bücher von ihm. Er läßt alle Woche welche einbinden.

WEHRHAHN. Ich möchte mal sehen, was der Mann so liest.

GLASENAPP. Der Briefträger meint, er hält zwanzig Zeitungen. Auch demokratische sind mit drunter.

WEHRHAHN. Sie können mir Hugk mal hierherbestellen.

GLASENAPP. Jleich?

WEHRHAHN. Bei Jelegenheit. Morjen, übermorjen. Er mag

mal so'n paar Bücher mitbringen. *Zu Mitteldorf.* Sie scheinen den janzen Tach zu schlafen — oder hat der Mann vielleicht gute Zigarren?

MITTELDORF. Herr Vorsteher . . .!

WEHRHAHN. Na, das lassen Sie man. Ich sehe mir meine Leute schon an. Das hat mein Herr Vorgänger so einreißen lassen. Allmählich wird das schon anders werden. — Für eine Polizeiperson ist es schmählich, sich von irgendwem regalieren zu lassen. Ihnen selbstverständlich böhmische Berge. *Zu Glasenapp.* Hat Motes nicht etwas Bestimmtes jesagt?

GLASENAPP. Bestimmtes hat er mir nicht gesagt. Er meinte, der Herr Vorsteher wüßte schon . . .

WEHRHAHN. Das heißt, ich weiß nur ganz Allgemeines. Ich hatte den Mann ja schon längst im Auge. Ich meine natürlich den Doktor Fleischer. Herr Motes hat es mir nur bestätigt, daß ich den Patron ganz richtig erkannt habe. — Was hat denn Motes so für einen Leumund? *Glasenapp und Mitteldorf sehen einander an. Glasenapp zuckt die Achseln.* Pumpt sich wohl rum, was?

GLASENAPP. Er sagt ja, er hat seine Pension.

WEHRHAHN. Pension?

GLASENAPP. Er hat doch'n Schuß ins Auge bekommen.

WEHRHAHN. Wär' also so 'ne Art Schmerzensjeld.

GLASENAPP. Se werden verzeihen, Herr Amtsvorsteher. Ich jloobe, der Mann hat mehr die Schmerzen. Von Jeld hat noch keener bei dem was bemerkt.

WEHRHAHN, *belustigt.* Ist sonst eine Sache von Bedeutung?

GLASENAPP. Nur Kleinigkeiten, Herr Amtsvorsteher. 'ne Dienstabmeldung —

WEHRHAHN. Schon gut, schon gut. Haben Sie vielleicht mal was läuten hören, daß Fleischer die Zunge nicht recht im Zaum hält?

GLASENAPP. Nicht daß ich grade im Augenblick wüßte.

WEHRHAHN. Man hat mir das nämlich hinterbracht. Er führe ungesetzliche Reden auf alle möglichen hohen Personen. Es wird sich ja übrigens alles zeigen. Nun wollen wir doch an die Arbeit jehn. Ja, Mitteldorf, haben Sie etwa noch was?

MITTELDORF. Es soll heut nacht 'n Diebstahl verübt sein.

WEHRHAHN. 'n Diebstahl? Wo?

MITTELDORF. In der Villa Krüjer.

WEHRHAHN. Was ist denn gestohlen?

MITTELDORF. Knüppelholz.

WEHRHAHN. In der letztvergangenen Nacht, oder wann?

MITTELDORF. Vergangene Nacht.

WEHRHAHN. Von wem haben Sie's denn?

MITTELDORF. Ich hab' es . . .

WEHRHAHN. Na also, von wem denn?

MITTELDORF. Ich hab' es . . . ich habe es von Herr Fleischer jehört.

WEHRHAHN. So! Mit dem Mann unterhalten Sie sich . . .?

MITTELDORF. Herr Krüjer hat es auch selber erzählt.

WEHRHAHN. Der Mann ist der reine Querulant. Der Mann schreibt mir wöchentlich drei Briefe. Bald hat man ihn übers Ohr gehauen, bald hat man ihm seinen Zaun zerbrochen, bald hat man ihm seine Grenze verrückt. Nur Scherereien auf Scherereien.

MOTES *tritt ein. Er lacht im Reden fast fortwährend nervös.* Jehorsamer Diener, Herr Amtsvorsteher.

WEHRHAHN. Da sind Sie ja. Freut mich, daß Sie kommen. Da können Sie mir vielleicht gleich mal sagen: bei Krüger soll ja jestohlen sein?

MOTES. Ich wohne nicht mehr in der Villa Krüger.

WEHRHAHN. Und haben auch sonst nichts jehört, Herr Motes?

MOTES. Jehört hab' ich wohl, aber nichts Jenaues. Als ich jetzt bei der Villa vorüberkam, da suchten sie beide die Spuren im Schnee.

WEHRHAHN. So? Doktor Fleischer ist ihm behilflich — da sind sie wohl ziemlich dick befreundet?

MOTES. Ein Herz und eine Seele, Herr Vorsteher.

WEHRHAHN. Ja, was nun den Fleischer anbelangt — das interessiert mich vor allen Dingen. Bitte, setzen Sie sich! — Ich kann Ihnen sagen, ich habe die halbe Nacht nicht jeschlafen. Die Sache hat mich nicht schlafen lassen. Sie haben mir da einen Brief geschrieben, der mich außerordentlich aufgeregt hat. Das ist nun freilich Sache der Anlage. Meinen Vorgänger würde das nicht gestört haben. Ich meinesteils habe mich fest entschlossen, was man so sagt, durch und durch zu drücken. Meine Aufgabe hier ist: mustern und säubern. Was hat sich im Schutze meines Herrn Vorgängers nicht alles für Kehricht hier angesammelt! Dunkle Existenzen, politisch verfemte, reichs- und königsfeindliche Elemente. Die Leute sollen zu stöhnen bekommen. — Nun also, Herr Motes, Sie sind Schriftsteller?

MOTES. Für forst- und jagdliche Sachen, jawohl.

WEHRHAHN. Da schreiben Sie so in Forst-und Jagdzeitungen? Apropos: und können Sie denn davon leben?

MOTES. Wenn man eingeführt is wie ich, Herr Baron. Ich hab' Jott sei Dank mein schönes Auskommen.

WEHRHAHN. Sie sind ein gelernter Forstmann, wie?

MOTES. Ich war auf Akademie, Herr Vorsteher. In Eberswalde hab' ich studiert. Kurz vor dem Examen betraf mich das Unglück . . .

WEHRHAHN. Ach ja, Sie tragen ja eine Binde.

MOTES. Ich verlor ein Auge auf Jagd, Herr Baron. Ich bekam ein Schrotkorn ins rechte Auge, von wem, war leider nicht zu ermitteln. Da mußte ich denn die Karriere aufgeben.

WEHRHAHN. Also Pension bekommen Sie nicht?

MOTES. Nein. Ich habe mich nun auch so ziemlich durchgefressen. Mein Name ist doch nun schon ziemlich genannt.

WEHRHAHN. Hm. Ist Ihnen vielleicht mein Schwager bekannt?

MOTES. Herr Oberförster von Wachsmann, jawohl. Ich korrespondiere viel mit ihm, und außerdem sind wir Vereinsgenossen: Verein zur Züchtung von Vorstehhunden.

WEHRHAHN, *einigermaßen aufatmend*. So! sind Sie also mit ihm bekannt?! Das ist mir ja angenehm zu hören. Das erleichtert die Sache ja wesentlich und begründet das gegenseitige Vertrauen. Da hindert uns ja nun nichts mehr, Herr Motes. — Sie schrieben mir also in Ihrem Briefe, Sie hätten Gelegenheit gehabt, den Doktor Fleischer zu beobachten. Erzählen Sie doch mal, was Sie wissen.

MOTES *räuspert sich*. Als ich... als ich vor einem Jahre zirka die Villa Krüger bezog, Herr Baron, da hatte ich keine Ahnung davon, mit wem ich zusammengeraten würde.

WEHRHAHN. Sie kannten weder Krüger noch Fleischer?

MOTES. Nein. Wie das so ist in einem Hause, ich konnte mich nicht so recht zurückziehen.

WEHRHAHN. Was kamen denn da so für Leute ins Haus?

MOTES, *mit bezeichnender Handbewegung*. Ach!

WEHRHAHN. Ich verstehe.

MOTES. Krethi und Plethi. Demokraten.

WEHRHAHN. Gab es regelmäßig Zusammenkünfte?

MOTES. Alldonnerstäglich, soviel ich weiß.

WEHRHAHN. Da wollen wir doch mal ein Augenmerk drauf haben. — Verkehren Sie jetzt nicht mehr mit den Leuten?

MOTES. Es war mir zuletzt nicht mehr möglich, Herr Vorsteher.

WEHRHAHN. Es war Ihnen widerwärtig, was?

MOTES. Es war mir gänzlich zuwider geworden.

WEHRHAHN. Das ganze ungesetzliche Wesen, das freche Gespött über hohe Personen, das konnten Sie alles zuletzt nicht mehr anhören?

MOTES. Ich blieb, weil ich dachte, wer weiß, wozu's gut ist.

WEHRHAHN. Aber endlich haben Sie doch jekündigt?

MOTES. Ich bin jezogen, jawohl, Herr Baron.

WEHRHAHN. Und endlich haben Sie sich entschlossen...

MOTES. Ich habe es für meine Pflicht gehalten.

WEHRHAHN. Die Behörde davon zu unterrichten. Das finde ich sehr ehrenwert von Ihnen. Er hat also so ein Wort gesagt — wir werden ja später protokollieren — auf eine Persönlichkeit bezüglich, die uns allen ehrfurchtgebietend hoch steht.

MOTES. Jewiß, Herr Baron, das hat er jesagt.

WEHRHAHN. Das würden Sie eventuell beeiden?

MOTES. Das würde ich eventuell beeiden.

WEHRHAHN. Sie würden es auch beeiden müssen.

MOTES. Jawohl, Herr Baron.

WEHRHAHN. Das beste wäre ja allerdings, wir könnten noch einen Zeugen bekommen.

MOTES. Ich müßte mich umsehen, Herr Baron. Nur wirft der Mann so mit Geld herum, daß...

WEHRHAHN. Ach, warten Sie mal, da kommt schon der Krüger. Ich will doch den Mann lieber vorher abfertigen. Ich bin Ihnen jedenfalls sehr dankbar, daß Sie mich so tatkräftig unterstützen. Man ist darauf geradezu angewiesen, wenn man heutzutage was ausrichten will.

KRÜGER *tritt hastig und erregt ein.* Ach Chott! Ach Chott! Chuten Tag, Herr Vorsteher.

WEHRHAHN, *zu Motes.* Entschuldigen Sie einen Augenblick!

Hochmütig inquirierend zu Krüger. Was wünschen Sie denn? *Krüger ist ein kleiner, etwas schwerhöriger, fast siebzigjähriger Mann. Er geht schon etwas gebückt, mit der linken Schulter ein wenig geneigt, ist aber im übrigen noch sehr rüstig und unterstützt seine Worte mit heftigen Handbewegungen. Er trägt eine Pelzmütze, die er im Amtslokale in der Hand behält, einen braunen Winterüberzieher, um den Hals einen dicken Wollschal.*

KRÜGER, *mit Ärger geladen, platzt heraus.* Pestohlen bin ich, Herr Amtsvorsteher. *Er wischt sich, verschnaufend, mit dem Taschentuch den Schweiß von der Stirn und sieht dem Vorsteher nach Art der Schwerhörigen starr auf den Mund.*

WEHRHAHN. Bestohlen? Hm!

KRÜGER, *schon gereizt.* Jawohl pestohlen. Ich bin pestohlen. Man hat mir zwei Meter Holz entwendet.

WEHRHAHN, *mit halbem Lächeln bei den Anwesenden umblickend, leichthin.* Es ist doch sonst in der letzten Zeit hier nicht das jeringste vorjekommen.

KRÜGER, *die Hand am Ohr.* Was? Nicht das keringste. Du lieber Chott! Dann steh' ich vielleicht zum Spaße hier?

WEHRHAHN. Sie brauchen deswegen nicht ausfällig zu werden. Wie heißen Sie übrigens?

KRÜGER *stutzt.* Wie ich heiße?

WEHRHAHN. Ja, wie Sie heißen.

KRÜGER. Ist Ihnen mein Name noch nicht bekannt? Ich denke, wir hatten schon das Vergnügen.

WEHRHAHN. Bedaure. Ich wüßte mich kaum zu erinnern. Das wäre schließlich hier auch ganz gleichgültig.

KRÜGER, *resigniert.* Ich heiße Krüger.

WEHRHAHN. Rentier vielleicht?

KRÜGER, *heftig, ironisch, überstürzt.* Jawohl. Rentier und Hausbesitzer.

WEHRHAHN. Ich bitte, legitimieren Sie sich.

KRÜGER. Leg... legitimieren? Krüger heiß' ich. Da wollen wir doch nicht erst Umstände machen. Ich wohne seit dreißig Jahren hier. Mich kennt ja ein jedes Kind auf der Straße.

WEHRHAHN. Wie lange Sie hier sind, geht mich nichts an. Ihre Identität will ich hier nur feststellen. Ist Ihnen der Herr bekannt, Herr Motes? *Motes erhebt sich halb mit einem*

bösen Gesicht. Ach so, ich verstehe. Bitte, setzen Sie sich.
Nun also, Glasenapp?

GLASENAPP. Ja! Zu dienen! Es ist der Herr Rentier Krüger
von hier.

WEHRHAHN. Gut. — Holz ist Ihnen also gestohlen?

KRÜGER. Ja. Holz. Zwei Meter kieferne Knüppel.

WEHRHAHN. Haben Sie das Holz im Schuppen gehabt?

KRÜGER, *wieder heftig werdend.* Das ist wieder eine Sache
für sich. Das ist eine kanz besondere Klage.

WEHRHAHN, *ironisch und flüchtig zu den andern hinüber-
lachend, leichthin.* Schon wieder eine?

KRÜGER. Was meinen Sie?

WEHRHAHN. Nichts. Reden Sie nur gefälligst weiter. Das Holz
war also wohl nicht im Schuppen?

KRÜGER. Das Holz war im Karten. Das heißt: voor dem
Karten.

WEHRHAHN. Mit andern Worten, es lag auf der Straße?

KRÜGER. Es lag vor dem Karten auf meinem Grundstück.

WEHRHAHN. Daß jeder ohne weiters dazu konnte?

KRÜGER. Und das ist eben die Schuld des Tienstmädchens. Sie
sollte das Holz am Abend hereinräumen.

WEHRHAHN. Da hat sie's verschwitzt?

KRÜGER. Sie hat sich keweigert. Und als ich weiter darauf
bestand, da ist sie mir schließlich davongelaufen. Nun werd'
ich dafür die Eltern verklagen. Ich peanspruche vollen
Schadenersatz.

WEHRHAHN. Das halten Sie immerhin, wie Sie wollen. Aber
helfen wird es wohl nicht viel. — Ist Ihnen nun irgend
jemand verdächtig?

KRÜGER. Nein. Hier ist ja alles verstohlenes Pack.

WEHRHAHN. Vermeiden Sie, bitte, das Verallgemeinern. Sie
müssen mir doch etwas an die Hand geben.

KRÜGER. Ich werde doch nicht einen Menschen beschuldigen
auf gutes Glück.

WEHRHAHN. Wer wohnt außer Ihnen in Ihrem Hause?

KRÜGER. Herr Doktor Fleischer.

WEHRHAHN, *gleichsam nachsinnend.* Doktor Fleischer? Doktor Fleischer? Der Mann ist —? was?

KRÜGER. Ist krundgelehrt. Ein krundgelehrter Mann, jawohl.

WEHRHAHN. Sie sind beide sehr intim miteinander?

KRÜGER. Mit wem ich intim bin, ist meine Sache. Das kehört auch gar nicht hierher, wie mich dünkt.

WEHRHAHN. Wie soll man schließlich da etwas ermitteln? Sie müssen mir doch einen Fingerzeig geben?

KRÜGER. Ich muß? Du lieber Chott ja! Ich muß? Mir werden zwei Meter Holz kestohlen. Ich komme den Tiebstahl einfach anzeigen...

WEHRHAHN. Sie müssen doch eine Vermutung haben. Das Holz muß doch jemand gestohlen haben.

KRÜGER. Wa—? Ja — ich nicht! Ich chanz kewiß nicht.

WEHRHAHN. Aber lieber Mann...

KRÜGER. Wa—? Ich heiße Herr Krüger.

WEHRHAHN, *einlenkend, scheinbar gelangweilt*: Ä! — Na, Glasenapp, protokollieren Sie also. — Was ist denn nun mit dem Mädchen, Herr Krüger? Das Mädchen ist Ihnen fortgelaufen?

KRÜGER. Ja, chanz kewiß — zu den Eltern zurück!

WEHRHAHN. Sind die Eltern am Ort?

KRÜGER. Was für ein Wort?

WEHRHAHN. Ob die Eltern des Mädchens hier am Ort sind?

GLASENAPP. Es ist die Tochter der Waschfrau Wolffen.

WEHRHAHN. Der Wolffen, die heute bei uns wäscht, Glasenapp?

GLASENAPP. Zu befehlen, Herr Vorsteher.

WEHRHAHN, *kopfschüttelnd*. Äußerst merkwürdig! Diese fleißige, ehrenhafte Person. *Zu Krüger*. Verhält es sich so? Die Tochter der Wolffen?

KRÜGER. Es ist die Tochter der Waschfrau Wolff.

WEHRHAHN. Und ist das Mädchen zurückgekommen?

KRÜGER. Bis heute noch nicht zurückgekommen.

WEHRHAHN. Dann wollen wir doch mal die Wolffen rufen. He, Mitteldorf! Sie sind wohl sehr müde? Na, gehen Sie mal rüber über den Hof. Die Wolffen soll gleich mal zu mir kommen. Ich bitte, setzen Sie sich, Herr Krüger.

KRÜGER, *Platz nehmend, seufzt*. Ach Chott, ach Chott, das ist so ein Leben!

WEHRHAHN, *halblaut zu Motes und Glasenapp*. Ich bin doch neugierig, was da herauskommt. Da muß irgend etwas nicht ganz stimmen. Ich halte nämlich sehr viel von der Wolffen. Das Weibsbild arbeitet wie vier Männer. Meine Frau sagt, wenn die Wolffen nicht kommt, so braucht sie

statt ihrer zwei Frauen zum Waschen. — Sie hat auch gar
nicht üble Ansichten.

MOTES. Ihre Töchter sollen zur Oper gehen...

WEHRHAHN. Na ja, da mag ja wohl 'ne Schraube los sein. Ist
aber doch kein Charakterfehler. Was haben Sie denn da
hängen, Herr Motes?

MOTES. Drahtschlingen. Ich bring' sie dem Förster Seidel.

WEHRHAHN. Ach, zeigen Sie doch mal her so'n Ding. *Er hält
eine und betrachtet sie nahe.* Da muß so'n Stück Wild nun
so langsam erwürgen.

*Die Wolffen tritt ein, hinter ihr Mitteldorf. Sie trocknet sich
noch die vom Waschen nassen Hände.*

FRAU WOLFF, *unbefangen, heiter, mit einem flüchtigen Blick
auf die Drahtschlingen.* Hier bin ich? Was hat's nu? Was
gibbt's mit der Wolffen?

WEHRHAHN. Frau Wolff, ist Ihnen der Herr bekannt?

FRAU WOLFF. Na, welcher Herr d'nn? *Mit dem Finger auf
Krüger weisend.* Der hier? Das is Herr Krieger. Den wer ich
woll etwa kenn, nich wahr? Guten Morgen, Herr Krieger.

WEHRHAHN. Ihre Tochter ist bei Herrn Krüger im Dienst?

FRAU WOLFF. Wer? Meine Tochter? Jawoll! Leontine. *Zu
Krüger.* Das heeßt: sie is Ihn ja fortgeloofen.

KRÜGER, *wütend.* Ja, allerdings!

WEHRHAHN, *unterbrechend.* Ach, warten Sie mal.

FRAU WOLFF. Was habt er'n da eenklich mitnander gehabt?

WEHRHAHN. Frau Wolffen, hören Sie mal auf mich! Ihre
Tochter muß gleich in den Dienst zurückjehen.

FRAU WOLFF. I nee, m'r behalten se jetzt zu Hause.

WEHRHAHN. Das geht nicht so einfach, wie Sie denken. Herr
Krüger hat nötigenfalls das Recht, polizeiliche Hilfe an-
zurufen. Dann müßten wir Ihre Tochter zurückbringen.

FRAU WOLFF. Mei Mann hat sich's halt in a Kopp gesetzt. Er
will se halt eemal durchaus nich mehr fortlassen. Un wenn
sich mei Mann amal was in a Kopp setzt... Ihr Männer seid
halt gar zu schrecklich jähzornig.

WEHRHAHN. Nu lassen Sie das mal gut sein, Frau Wolffen.
Ihre Tochter ist seit wie lange zu Hause?

FRAU WOLFF. Seit gestern abend.

WEHRHAHN. Schön. Seit gestern. Sie hat sollen Holz in den
Schuppen räumen und hat sich geweigert.

FRAU WOLFF. Wärsch doch! Geweigert! Das Mädel weigert Ihn keene Arbeit. Das hätt ich dem Mädel ooch woll'n anstreichen!

WEHRHAHN. Sie haben jehört, was Frau Wolff jesagt hat.

FRAU WOLFF. Das Mädel is immer willig gewesen. Wenn die mir hätte eemal 'n Handgriff verweigert...

KRÜGER. Sie hat sich keweigert, das Holz reinzutragen.

FRAU WOLFF. Ja, Holz reinschleppen, de Nacht um halb elwe, wer das von so an Kinde verlangt...

WEHRHAHN. Das Wesentliche ist nun, Frau Wolffen: das Holz ist draußen liegengeblieben, und diese Nacht ist es gestohlen worden. Nun will...

KRÜGER *hält sich nicht mehr.* Sie werden tas Holz ersetzen, Frau Wolff.

WEHRHAHN. Das wird sich ja finden, warten Sie doch.

KRÜGER. Sie werden's mir bei Heller und Pfennig ersetzen.

FRAU WOLFF. I, ja doch! Das wär ane neie Mode! Hab ich Ihn vielleicht Ihr Holz gestohlen?

WEHRHAHN. Na, lassen Sie sich mal den Mann erst beruhigen.

FRAU WOLFF. I, wenn mir Herr Krieger erst aso kommt, mit Holz bezahlen und solche Sachen, da hat a bei mir kee Glicke nich. Ich bin zu a Leiten gewiß immer freindlich. Da kann sich kee Mensch ieber mich beklagen. Aber wenn's amal muß sein, warum denn nich? Da red ich halt ooch amal frisch von der Leber. Ich tu meine Pflicht, und damit is's gutt. Da kann mir keener im Dorfe was nachsagen. Uff'm Koppe rumtrampeln laß ich mir nicht!

WEHRHAHN. Ereifern Sie sich nur nicht, Frau Wolff. Sie haben durchaus keinen Grund dazu. Bleiben Sie nur immer ruhig, ganz ruhig. Sie sind uns ja nicht mehr unbekannt. Daß Sie fleißig sind und ehrenhaft, das wird Ihnen wohl kein Mensch bestreiten. Was haben Sie also dagegen zu sagen?

KRÜGER. Die Frau kann kar nichts dagegen sagen!

FRAU WOLFF. Na nu, ihr Leute, nu schlägt's aber dreiz'n. Is denn das Mädel nich meine Tochter? Da soll ich nischt d'rzu sagen, hä? Da suchen Se sich ane Tumme aus, da kenn Se de Mutter Wolffen schlecht. Ich halte vor niemand nich hinterm Berge, und wenn's der Herr Vorsteher selber is. Viel weniger vor Ihn, das kenn Se mer glooben.

WEHRHAHN. Ich begreife ja Ihre Erregung, Frau Wolffen.

Aber wenn Sie der Sache nützen wollen, so rate ich Ihnen, ruhig zu bleiben.

FRAU WOLFF. Da hat ma nu bei da Leiten gearbeit. Zehn Jahre hab ich de Wäsche gewaschen. M'r hab'n uns vertragen de ganze Zeit. Un nu uff eenmal woll'n Se aso komm. Zu Ihn komm ich nie mehr, das kenn Se m'r glooben.

KRÜGER. Das prauchen Sie kar nicht. Es kibt andere Frauen, die waschen könn.

FRAU WOLFF. Und 's Gemiese und 's Obst aus Ihrem Garten, das kann Ihn ooch ane andre verkoofen.

KRÜGER. Das werde ich los, ta ist keine Angst. — Sie hätten bloß prauchen ein Prügel nehmen und Ihre Tochter zu mir zurückjagen.

FRAU WOLFF. Ich lasse meine Tochter nich schinden.

KRÜGER. Wer hat Ihre Tochter geschunden? frag' ich.

FRAU WOLFF, *zu Wehrhahn.* A halbes Geripppe is Ihn das Mädel.

KRÜGER. Dann soll sie nicht kanze Nächte durchtanzen.

FRAU WOLFF. Se schläft wie a Steen a ganzen Tag.

WEHRHAHN, *über Frau Wolff hinweg zu Krüger.* Wo hatten Sie denn das Holz gekauft?

FRAU WOLFF. Na, dauert die Sache hier noch lange?

WEHRHAHN. Weshalb denn, Frau Wolffen?

FRAU WOLFF. I, wegen der Wäsche. Wenn ich m'r hier meine Zeit versteh, da kann ich ooch heite nich fertig wern.

WEHRHAHN. Das kommt hier nicht in Betracht, Frau Wolffen.

FRAU WOLFF. Und Ihre Frau? Was werd d'nn die sagen? Da machen Se's ock mit der aus, Herr Vorsteher.

WEHRHAHN. Es dauert ja nur noch eine Minute. — Da sagen Sie uns mal gleich, Frau Wolffen, Sie sind ja im Dorfe herum bekannt. Wem trauen Sie so einen Diebstahl zu? Wer könnte das Holz wohl gestohlen haben?

FRAU WOLFF. Da kann ich Ihn gar nischt sagen, Herr Vorsteher.

WEHRHAHN. Und haben Sie gar nichts Verdächt'ges bemerkt?

FRAU WOLFF. Ich war de Nacht erscht gar nich zu Hause. Ich mußte nach Treptow, Gänse einkoofen.

WEHRHAHN. Um welche Zeit war das?

FRAU WOLFF. Gleich nach zehne. Mitteldorf war ja dabei, als m'r loszogen.

WEHRHAHN. Eine Holzfuhre ist Ihnen da nicht begegnet?

FRAU WOLFF. Nee, wißt ich nich.

WEHRHAHN. Wie ist's, Mitteldorf, haben Sie nichts bemerkt?

MITTELDORF, *nach einigem Nachsinnen.* Mir ist nichts Verdächtiges uffjestoßen.

WEHRHAHN. Na selbstverständlich, das wußt' ich vorher. *Zu Krüger.* Wo haben Sie also das Holz jekauft?

KRÜGER. Zu was müssen Sie denn das wissen? frag' ich.

WEHRHAHN. Sie werden das, denk' ich, mir überlassen.

KRÜGER. Natürlich doch bei der Forstverwaltung.

WEHRHAHN. Das ist doch durchaus nicht so natürlich. Es gibt doch zum Beispiel auch Holzjeschäfte. Ich kaufe zum Beispiel mein Holz bei Sandberg. Warum sollten Sie nicht beim Händler kaufen? Man kauft überdies beinahe profitabler.

KRÜGER, *ungeduldig.* Ich habe nicht länger Zeit, Herr Vorsteher.

WEHRHAHN. Was heißt das, Zeit? Sie haben nicht Zeit? Kommen Sie zu mir oder ich zu Ihnen? Nehm' ich Ihre Zeit in Anspruch oder Sie die meine?

KRÜGER. Das ist Ihr Amt, dafür sind Sie hier.

WEHRHAHN. Bin ich vielleicht Ihr Schuhputzer, was?

KRÜGER. Habe ich vielleicht silberne Löffel gestohlen? Ich verbitte mir diesen Unteroffizierston!

WEHRHAHN. Da hört doch aber... Schreien Sie nicht so!

KRÜGER. Sie schreien, Herr!

WEHRHAHN. Sie sind halbtaub, da muß ich schreien.

KRÜGER. Sie schreien immer, Sie schreien jeden an, der hierherkommt.

WEHRHAHN. Ich schreie niemand an, schweigen Sie still!

KRÜGER. Sie spielen sich hier als wer weiß was auf. Sie schikanieren den ganzen Ort.

WEHRHAHN. Das kommt noch ganz anders, warten Sie nur. Ich werde Ihnen noch viel unbequemer.

KRÜGER. Das macht mir nicht den keringsten Eindruck. Ein Kernegroß sind Sie, weiter nichts. Sie wollen sich aufspielen, weiter nichts. Als ob Sie der König selber wären...

WEHRHAHN. Hier bin ich auch König!

KRÜGER *lacht aus vollem Halse.* Ha, ha, ha, ha, ha! Das lassen Sie kut sein, in meinen Augen sind Sie kar nichts. Sie sind

'n kanz simpler Amtsvorsteher. Sie müssen erst lernen,
einer zu werden.

WEHRHAHN. Herr, wenn Sie nicht augenblicklich schweigen...

KRÜGER. Dann lassen Sie mich wohl arretieren? Das möchte
ich Ihnen denn doch nicht raten. Das könnte Ihnen kefähr-
lich werden.

WEHRHAHN. Gefährlich? Sie? *Zu Motes.* Haben Sie gehört?
Zu Krüger. Und wenn Sie wühlen und intrigieren mit
Ihrem ganzen lieblichen Anhang, Sie werden mich von der
Stelle nicht fortbringen.

KRÜGER. Du lieber Chott! Ich gegen Sie wühlen? Dazu ist
mir Ihre Person viel zu kleichgültig. Wenn Sie sich nicht
ändern, das klauben Sie mir, da richten Sie so viel Unheil
an, daß Sie sich känzlich unmöglich machen.

WEHRHAHN, *zu Motes.* Herr Motes, man muß das Alter
berücksichtigen.

KRÜGER. Ich bitte mich zu Protokoll zu vernehmen.

WEHRHAHN *wühlt in seinen Sachen.* Erstatten Sie bitte schrift-
lich Anzeige, ich habe im Augenblick keine Zeit.

KRÜGER *sieht ihn verblüfft an, wendet sich energisch und geht
ohne Gruß hinaus.*

WEHRHAHN, *nach einer Verlegenheitspause.* Da kommen die
Leute mit solchen Lappalien! — Äh! *Zu Frau Wolff.* Machen
Sie, daß Sie zum Waschen kommen! — Ich sage Ihnen, mein
lieber Motes, so'n Posten wird einem schwer gemacht.
Wenn man nicht wüßte, für was man hier steht, da könnte
man manchmal die Büchse ins Korn werfen. So aber heißt
es: tapfer aushalten. Was ist es denn schließlich, für was
man kämpft? Die höchsten Güter der Nation!

DRITTER AKT

*Morgens gegen acht Uhr in der Wohnung der Frau Wolff.
Auf dem Herd kocht das Kaffeewasser. Frau Wolff sitzt auf
einer Fußbank und zählt Geld auf die Platte eines Stuhles.
Julius kommt herein, ein geschlachtetes Kaninchen tragend.*

JULIUS. Stich du all bloß det Jeld beiseite.

FRAU WOLFF, *ins Berechnen vertieft, grob.* I, hab dich nich!
Schweigen.

Julius wirft das Kaninchen auf einen Schemel, dann greift
er ziemlich unschlüssig nach diesem und jenem und fängt
schließlich an, einen Stiefel zu schmieren. Man hört fern ein
Jagdsignal blasen.

JULIUS *horcht, dann ängstlich erregt.* Ob du woll det Jeld beiseite stichst!

FRAU WOLFF. Du sollst mich in Ruh lassen, Julian. Laß du
doch den dämlichen Motes blasen. Der is im Walde und
denkt an nischt.

JULIUS. Bring du uns man noch nach Plötzensee!

FRAU WOLFF. Du sollst kee Blech reden. 's Mädel kommt!

ADELHEID *kommt, eben aufgestanden.* Juten Morjen, Mama!

FRAU WOLFF. Haste scheen geschlafen?

ADELHEID. Ihr seid woll fort jewesen die Nacht?

FRAU WOLFF. Du wirscht woll geträumt haben; nu mach!
Trag Holz herzu. Feder a bissel!

ADELHEID, *mit einer Apfelsine ballend, nach der Tür.*

FRAU WOLFF. Wo hast'n die her?

ADELHEID. Von Kaufmann Schöbel. *Ab.*

FRAU WOLFF. Du sollst von dem Kerle nicht geschenkt nehmen! — Nu komm amal, Julian! Heer amal druff! Hier hab
ich nu neununfufzig Taler. Das is doch nu eemal mit Wulkown immer. Um eenen wird ma doch immer beschum-
melt, denn sechzig hat er doch geb'n wollen. — Ich tu se
hier in a Beutel, verstehste! Nu nimm der 'ne Hacke, geh,
mach d'r hinten im Ziegenstalle a Loch, aber unter der
Krippe, wo's trocken is; da kannste a Beutel reintun,
heerschte! Un a flachen Steen, den deckste m'r drieber. Nu
halt dich aber ni lange uff.

JULIUS. Ich denke, du willst all Fischern wat abzahl'n.

FRAU WOLFF. Ob de woll tun kannst, was ich d'r sage. Nu
mähr nich erscht lange, haste verstanden?

JULIUS. Mach du mir nich eklich, sonst kriste wat druff all.
Ich jeb et nich zu, det det Jeld in't Haus bleibt.

FRAU WOLFF. Wo soll's 'n da hinkommen?

JULIUS. Det nimmste und bringste bei Fischern hin. Du hast
ja jesacht all, wir woll'n mit wat abzahl'n.

FRAU WOLFF. Du bist doch a hagelshorntummer Kerl. Wenn
du mich nicht hätt'st, da wärschte verloren.

JULIUS. Schrei du man noch mehr!

FRAU WOLFF. Da muß man ooch schreien, wenn du aso tumm bist. Da red ni so tumm, da brauch ich ni schreien. Wenn mir jetzt das Geld zu Fischern bringen, da paß amal uff, was uns da passiert.

JULIUS. Ick sach et ja! mit die janze Jeschichte! Wat hab ick davon, wenn ick sitzen muß!

FRAU WOLFF. Nu hast aber Zeit, daß de stille bist!

JULIUS. 'n bißken mehr schriegen kannste woll nich?

FRAU WOLFF. Ich wer m'r deswegen kee ander Maul koofen. Du machst a Hallo... ich weeß gar ni wie, wegen so an bissel Geschichte da. Paß du bloß uff dich uff und nich uff mich. Hast a Schlissel schonn in de Spree geschmissen?

JULIUS. Na, bin ick denn schon an't Wasser jekomm?

FRAU WOLFF. Nu haste Zeit, daß de Beene machst. Se soll'n woll a Schlissel bei dir finden? *Julian will fort.* I, wart amal, Julian! Gib her a Schlissel!

JULIUS. Wat willst'n mit machen?

FRAU WOLFF, *den Schlüssel an sich nehmend.* Das geht dich nischt an, das is meine Sache. *Sie steckt den Schlüssel zu sich, schüttet Kaffee in die Kaffeemühle und fängt an zu mahlen.* Nu geh in a Stall, denn kommste und trinkst.

JULIUS. Det hätte ick man sollen früher jewußt hebben. *Julius ab. Adelheid kommt herein, eine große Schürze voll Knüppelholz bringend.*

FRAU WOLFF. Wo haste das Holz hergenommen?

ADELHEID. Na, halt von det neue Knüppelholz.

FRAU WOLFF. Du sollst von dem neuen Holze nich nehmen.

ADELHEID *läßt es vor dem Herd auf die Erde fallen.* Det schad't doch nischt, Mama, wenn et wechkommt.

FRAU WOLFF. Was du bloß weeßt! Was fällt 'n dir ein? Wer du man erscht trocken hinter a Ohren!

ADELHEID. Ick weeß, wo et her is!

FRAU WOLFF. Was meenste denn, Mädel?

ADELHEID. Ick meene det Holz.

FRAU WOLFF. I, quaßle bloß nich. Das is uff d'r Auktion gekooft.

ADELHEID *spielt Ball mit der Apfelsine.* Ja, ja, wenn't man wah wär. Det is ja stibitzt.

FRAU WOLFF. Was is es?

ADELHEID. Stibitzt. Det is ja det Holz von Krüjer, Mama. Det hat mir ja Leontine jesacht.

FRAU WOLFF *haut ihr ein Kopfstück*. Da haste 'ne Antwort. Mir sein keene Diebe. Nu geh und mach deine Schularbeiten. Und mach se sauber, das sag ich dir. Ich komme nachher und seh mersch an.

ADELHEID, *ab ins Nebenzimmer*. Ick denke, ich kann jehn Schlittschuh loofen.

FRAU WOLFF. Un a Konfirmantenunterricht, den haste woll ganz und gar vergessen?

ADELHEID. Der is ja erst Dienstach.

FRAU WOLFF. Morgen is a. Lern du m'r ja deine Bibelspriche. Ich komme nachher un ieberheer dich.

ADELHEID *hört man im Nebenzimmer laut gähnen, dann sagen*. Jesus sprach zu seine Jünger, wer keen Löffel hat, ißt mit de Finger.

Julius kommt wieder.

FRAU WOLFF. Na, haste's ooch richtig gemacht, Julian?

JULIUS. Wenn't dir nich jefällt, denn mach't man alleene.

FRAU WOLFF. Weeß Gott! da tutt ma ooch immer am besten. *Sie gießt ihm selbst und sich je eine Obertasse voll Kaffee und stellt sie auf einen Holzstuhl, dazu Brot und Butter*. Da hier, trink Kaffee!

JULIUS, *sich setzend und Brot schneidend*. Wenn man bloß Wulkow hat fortjekonnt.

FRAU WOLFF. Na, bei dem Tauwetter.

JULIUS. Immerzu doch, Tauwetter!

FRAU WOLFF. Wenn's ooch meinswegen a bissel friert, deswegen wird a nich sitzenbleiben. Der is jetzt schon längst a Stick im Kanale.

JULIUS. Wenn er man nich noch all an de Brücke liecht.

FRAU WOLFF. For mir mag a liegen, wo a will.

JULIUS. Det Wulkow noch mal jehörig rinschliddert, das kannste mir dreiste jlooben, verstehste!

FRAU WOLFF. Das is seine Sache, nich unsere Sache!

JULIUS. Denn stecken wir man all ooch in de Patsche. Laß du se man finden den Pels bei Wulkown.

FRAU WOLFF. Was denn fer'n Pelz?

JULIUS. Na, Kriejer sein Pels.

FRAU WOLFF. Red du bloß keen Blech nich zusammen,

verstehste. Verbrenn d'r dei Maul nich an fremden Sachen.

JULIUS. Det betrifft m'r ooch all.

FRAU WOLFF. Dreck betrifft's dich! Das geht dich nischt an. Das sind meine Sachen, nich deine Sachen. Du bist gar ke Mann, du bist a alt Weib. — Hier haste Geld, nu mach, daß de fortkommst. Geh nieber zu Fiebigen, trink an Schnaps; meinswegen mach d'r an lust'gen Sonntag. *Es klopft.* Herrein! Immer rein, wer de reinwill.

Doktor Fleischer mit seinem fünfjährigen Jungen tritt ein. Fleischer ist siebenundzwanzig Jahr, trägt Jägerianerkostüm, hat kohlschwarze Haare, ebensolchen Schnurr- und Backenbart; seine Augen liegen tief, seine Stimme ist für gewöhnlich sanft. Er verwendet in jeder Sekunde rührende Sorgfalt auf sein Kind.

FRAU WOLFF, *jauchzend.* Hach, kommt uns der Philipp amal besuchen! Na, das is scheen, das rech'n ich mir aber. *Sie bemächtigt sich des Kindes und zieht ihm den Paletot aus.* Nu komm, zieh der aus a Paletot. Hier hinne is warm, hier wirschte nich frieren.

FLEISCHER, *ängstlich.* Frau Wolffen, es zieht. Ich glaube, es zieht.

FRAU WOLFF. Wer werd denn so weech gebacken sein! A bissel Zug schad't dem Jungen nischt.

FLEISCHER. Nein, nein, bewahre. Was denken Sie denn! Im Augenblick hat der Junge was weg. Bewege dich, Philippchen. Immer beweg dich.

PHILIPP *wehrt mit den Schultern ab und quiekt dabei.*

FLEISCHER. Ja, Philippchen, siehst du, sonst wirst du krank. Du brauchst ja bloß langsam hin und her gehen.

PHILIPP, *ungezogen.* Ich will aber nich.

FRAU WOLFF. I, lassen Se'n man.

FLEISCHER. Guten Morgen, Frau Wolffen.

FRAU WOLFF. Guten Morgen, Herr Doktor, besuchen Sie uns ooch wieder amal?

FLEISCHER. Guten Morgen, Herr Wolff.

JULIUS. Schön juten Morjen, Herr Fleischer.

FRAU WOLFF. Na, sein Se willkomm'n. Nehmen Se Platz!

FLEISCHER. Wir wollen uns gar nich lange aufhalten.

FRAU WOLFF. Na, wenn m'r so an scheenen Besuch kriegen,

gleich in der Frieh, da wern m'r heut ooch an glicklichen
Tag hab'n. *Vor dem Jungen kniend.* Nich wahr, mei Junge,
du bringst uns Glick?

PHILIPP, *erregt.* Ich bin im zoloschen Darten dewesen, da hab
ich Störche desehn, die haben sich mit goldnen Schnäbeln
debeißt.

FRAU WOLFF. Nee, is woll nich meeglich, du liegst m'r was
vor. *Den Jungen würgend und abküssend.* Huch, Junge, ich
freß dich, ich freß dich reen uf. Herr Fleischer, den Jungen
behalt ich m'r. Das is mei Junge. Gelt, du bist mei Junge.
Was macht denn de Mutter, hä?

PHILIPP. Sie is desund, und sie läßt schön drüßen, und Sie
möchten doch morgen früh Wäsche waschen.

FRAU WOLFF. Na, sieh eener an. Aso a Junge. Der kann schonn
solche Sachen ausrichten. *Zu Fleischer.* Na, wollen Se sich
nich a bissel setzen?

FLEISCHER. Der Junge quält mich, er will mal Kahn fahren.
Geht's denn?

FRAU WOLFF. I, freilich. De Spree is frei. Das Mädel kann Ihn
ja a Stickel rausrudern.

FLEISCHER. Der Junge läßt mich nu mal nicht locker. Er hat
sich das so in den Kopf gesetzt.

ADELHEID, *an der Tür des Nebenzimmers sichtbar werdend,
winkt Philipp.* Komm, Philipp, ick wer d'r wat Schönes
zeijen.

PHILIPP *kreischt störrisch auf.*

FLEISCHER. Philippchen, hörst du, nicht ungezogen!

ADELHEID. Da sieh man die schöne Apfelsine!

PHILIPP *lacht übers ganze Gesicht, tut ein paar Schritte auf
Adelheid zu.*

FLEISCHER. Na geh mal hin, aber ja nicht betteln!

ADELHEID. Komm, komm, die essen wir jetzt mitnander.
*Sie tut ein paar Schritte auf das Kind zu, faßt es bei der
Hand, hält ihm mit der freien Hand die Apfelsine vor, und
beide begeben sich einträchtig ins Nebenzimmer.*

FRAU WOLFF, *dem Jungen nachschauend.* Nee, Junge, ich muß
dich bloß immer ansehn. Ich weeß nich, wenn ich so'n
Jungen seh ... *sie nimmt den Schürzenzipfel und schneuzt
sich —* da is mersch, als wenn ich glei heulen mißte.

FLEISCHER. Haben Sie nicht mal so'n Jungen gehabt?

FRAU WOLFF. Na freilich. Aber was nutzt denn das alles? Ma macht 'n ja doch nich wieder lebendig. — Ja sehen Se, das sind so Lebenssachen. *Pause.*

FLEISCHER. Man muß zu vorsichtig sein mit den Kindern.

FRAU WOLFF. Da mag ma halt noch so vorsichtig sein. Was kommen soll, kommt. *Pause. Kopfschüttelnd.* Was haben Sie denn mit Herrn Motes gehabt?

FLEISCHER. Ich? Nichts. Was soll ich mit ihm gehabt haben?

FRAU WOLFF. Ich meente bloß so.

FLEISCHER. Wie alt ist denn Ihre Tochter jetzt?

FRAU WOLFF. Zu Ostern kommt se doch aus der Schule. Wie is's denn, wollen Se se haben, Herr Fleischer? Zu Ihn, da geb ich se gerne ins Dienst.

FLEISCHER. Warum denn nicht? Das wär' gar nicht übel.

FRAU WOLFF. Das is Ihn a strammer Pursche geworden. Wenn die ooch noch jung is, kann ich Ihn sagen, die arbeit't mit jeder um die Wette. Und wissen Se was: se is manchmal a Strick, se tut manchmal nich gutt. Aber tumm is se nich. Die hat Ihn Schenie.

FLEISCHER. Das kann ja immerhin möglich sein.

FRAU WOLFF. Lassen Se die bloß a eeniges Mal was uffsagen — a Getichte, oder was grade is. Da kann ich Ihn aber sagen, Herr Doktor, da komm Se aus der Gansehaut gar nich raus. Se kenn se ja amal reinruffen lassen, wenn Se wieder amal Berliner Besuch hab'n. Zu Ihn kommen doch immer so allerhand Tichter. Die is Ihn treiste, die legt glei los. Se deklamiert Ihn zu wunderscheene! — *Verändert.* Nu will ich Ihn aber an gutten Rat geben: Se derfen mersch aber nich iebelnehmen. —

FLEISCHER. 'n gutten Rat nehm' ich niemals übel.

FRAU WOLFF. Uffs erschte: schenken Se nich so viel weg! Das dankt Ihn kee Mensch. Sie hab'n doch bloß Undank.

FLEISCHER. Ich schenke ja gar nich viel weg, Frau Wolffen.

FRAU WOLFF. Na ja, ich weeß schonn. Reden Se erscht nich, das macht Ihn bloß die Leite stutzig. Da heeßt's gleich: das is a Temekrat. Und sein S' ock im Reden ja immer recht vorsichtig.

FLEISCHER. Wie soll ich denn das verstehn, Frau Wolff?

FRAU WOLFF. Man kann sich ja denken, was ma will. Im Aus-

sprechen muß ma gar vorsichtig sein. Da sitzt ma im Loch,
ma weeß gar nich wie.

FLEISCHER *wird bleich.* Na, machen Sie keinen Unsinn, Frau
Wolff.

FRAU WOLFF. Nee, nee, das sag ich in allen Ernst. — Und
nehm Se sich bloß vor dem Menschen in acht.

FLEISCHER. Vor welchem Menschen meinen Sie denn?

FRAU WOLFF. Na der, von dem m'r vorhin gered't haben.

FLEISCHER. Vor Motes etwa?

FRAU WOLFF. Ich nenn keene Namen. Sie missen doch was
mit dem Menschen gehabt haben?

FLEISCHER. Ich verkehre ja gar nicht mehr mit ihm.

FRAU WOLFF. Na, sehn Se, das hab ich m'r doch gedacht.

FLEISCHER. Das kann mir kein Mensch verdenken, Frau
Wolffen!

FRAU WOLFF. Ich verdenk's Ihn ooch nich.

FLEISCHER. Das wäre noch schöner, mit einem Schwindler ...
mit einem notorischen Schwindler verkehren.

FRAU WOLFF. Das is ooch a Schwindler, da haben Se schonn
recht.

FLEISCHER. Jetzt is er zur Kuchen-Dreiern gezogen. Die arme
Frau kann sehn, wo sie bleibt. Was die etwa hat, das wird
sie schon loswerden. Mit so einem Kerl ... einem förm-
lichen Zuchthäusler ...

FRAU WOLFF. A läßt halt so manchmal Reden fallen ...

FLEISCHER. So!? Über mich? Da bin ich neugierig.

FRAU WOLFF. Sie hätten, gloob ich, was Schlechtes gesprochen
von eener hohen Person oder was.

FLEISCHER. Hm! was Genaues wissen Sie nicht?!

FRAU WOLFF. A steckt halt viel mit'n Wehrhahn zusammen.
Aber wissen Se was? Ich will Ihn was sagen. Gehn Se amal
hin zur Mutter Dreiern. Die alte Hexe riecht ooch schonn
Lunte. Erscht sin s' er doch um a Mund gegangen, jetzt
fressen doch die 'r de Haare vom Koppe.

FLEISCHER. Ach was, die ganze Sache ist Unsinn!

FRAU WOLFF. I, gehn Se zur Dreiern, das kann nischt schaden.
Die hat m'r ane Geschichte erzählt ... A hat se zum
Meineid verleiten wollen. Da hab'n Se da ganzen Kerl in
der Hand.

FLEISCHER. Ich kann ja mal hingehn, meinetwegen. Aber

schließlich ist mir die Sache egal. Das müßte doch mit'm Deibel zugehn, wenn so'n Kerl . . . der soll doch mal ankommen. — Du, Philipp, Philipp! Wo bist du denn? Wir wollen jetzt gehn.

ADELHEIDS STIMME. Wir sehn uns so schöne Bilder an.

FLEISCHER. Was sagen Sie übrigens zu der Geschichte?

FRAU WOLFF. Zu welcher?

FLEISCHER. Sie haben noch gar nichts gehört?

FRAU WOLFF, *unruhig.* Nee, was ich Ihn sage. *Ungeduldig.* Mach, Julian, geh, daß de zeitig wieder zu Mittage da bist. *Zu Fleischer.* M'r ham heite a Kaninchen geschlacht. Biste noch nich fertig, Julian?

JULIUS. Na, laß m'r bloß man meine Mitze suchen.

FRAU WOLFF. Ich kann das nich sehn, wenn eener so dämelt — so: kommste heite nich, kommste morgen. Bei mir muß alles vom Fleck gehn.

FLEISCHER. Heut nacht ist bei Krüger ge . . .

FRAU WOLFF. Sein Se stille! Lassen Se mich mit dem Manne zufrieden! Uf den hab ich eene solche Bost! Der Mann hat mich Ihn zu tief gekränkt. Wie mir beede mitnander gestanden haben, und macht mich so schlecht vor den Leuten. *Zu Julius.* Na, gehste nu, oder gehste nich?

JULIUS. Ick jeh schon, rege dir man nich uff. Ick wünsch all juten Morjen, Herr Fleischer!

FLEISCHER. Guten Morgen, Herr Wolff. *Julius ab.*

FRAU WOLFF. Na, wie gesagt —

FLEISCHER. Ja, wie ihm das Holz gestohlen wurde, da hat er sich wohl mal mit Ihnen gezankt? Von damals das hat er längst bereut.

FRAU WOLFF. I, der und bereuen!

FLEISCHER. Nu was ich Ihnen sage, Mutter Wolffen. Und überhaupt nach der letzten Geschichte. Sie stehen bei dem Manne groß angeschrieben. 's beste wär', Sie vertrügen sich wieder.

FRAU WOLFF. M'r hätten vernimft'g reden kenn. Aber gleich mit der Polizei — nu nee!

FLEISCHER. Die alten Leutchen sind wirklich schlimm dran; das Holz vor acht Tagen, heute der Pelz . . .

FRAU WOLFF. Nu raus mit der großen Neuigkeit!

FLEISCHER. Sie haben halt wieder mal eingebrochen.

FRAU WOLFF. Gestohlen? Machen Se bloß kennen Unsinn.

FLEISCHER. Und zwar einen nagelneuen Pelz.

FRAU WOLFF. Nee, wissen Se, nächstens zieh ich fort. Das ist ja eine Bande dahier! Da is ma ja seines Lebens nich sicher! Z! Z! Solche Menschen! Ma sollt's nich glooben!

FLEISCHER. Nu können Sie sich denken, was für 'n Hallo ist.

FRAU WOLFF. Das kann man den Leiten nich verdenken.

FLEISCHER. Und wirklich, 's war 'n recht teures Stück, ich glaube Nerz.

FRAU WOLFF. Is das a so ähnlich wie Biber, Herr Fleischer?

FLEISCHER. Ach, 's kann sogar Biber gewesen sein. Die Leutchen waren ganz stolz darauf. — Das heißt: gelacht hab' ich doch im stillen. Wenn so was entdeckt wird, das wirkt immer komisch.

FRAU WOLFF. Sie sin aber wirklich unbarmherzig. Ieber sowas kann ich nich lachen, Herr Fleischer!

FLEISCHER. Na denken Sie, daß mir der Mann nicht leid tut?

FRAU WOLFF. Was missen bloß das fer Menschen sein! Das will een doch gar nich in a Kopp. So andere Leute ums Ihrige bringen — nee, da lieber arbeiten, bis ma hinfällt.

FLEISCHER. Können Sie denn nich mal so'n bißchen rumhorchen? Ich glaube, der Pelz ist im Orte geblieben.

FRAU WOLFF. Nu haben Se denn uff niemand Verdacht?

FLEISCHER. Da hat so'ne Waschfrau bei Krüger gewaschen...

FRAU WOLFF. De Millern?

FLEISCHER. Die hat so'ne große Familie . . .?

FRAU WOLFF. 'ne große Familie hat die Frau, aber stehlen... nee. A bissel mausen, ja!

FLEISCHER. Natürlich hat sie Krüger gejagt.

FRAU WOLFF. Das muß doch rauskommen, Schwerenot. Das mißte doch mit'n Teifel zugehn. Na, wenn ich bloß Amtsvorsteher wär. Der Mann is Ihn aber tumm . . . nee, horndumm. Ich seh durch mei Hiehnerooge mehr wie der durch sein Glasooge, kenn Se mer glooben.

FLEISCHER. Das glaube ich beinahe.

FRAU WOLFF. Das kann ich Ihn sagen, wenn's druff ankommt: dem stehl ich a Stuhl unterm Hintern weg.

FLEISCHER *ist aufgestanden, ruft lachend ins Nebenzimmer.* Komm, Philipp, komm, wir müssen jetzt gehn. Adieu, Mutter Wolffen.

FRAU WOLFF. Zieh dich an, Adelheid. Du sollst a Herr
Fleischer a Stickl rudern.

ADELHEID *kommt, die letzten Knöpfe am Halse knöpfend,
führt Philipp an der Hand.* Ick bin ja schon fertig. *Zu
Philipp.* Komm her, du, ick nehme dir uf'n Arm.

FLEISCHER, *besorgt und beim Anziehen behilflich.* Nur ja gut
einpacken. Er ist zu anfällig. Und auf dem Wasser wird's
windig sein.

ADELHEID. Ick will man voraufjehn, 'n Kahn zurechtmachen.

FRAU WOLFF. Wie geht's Ihn denn jetzt mit Ihrer Gesundheit?

FLEISCHER. Viel besser, seit ich hier draußen lebe.

ADELHEID, *in der Tür, ruft zurück.* Mama, Herr Krüger.

FRAU WOLFF. Wer kommt?

ADELHEID. Herr Krüger.

FRAU WOLFF. Is woll nich meeglich!

FLEISCHER. Er wollte den Morgen zu Ihnen kommen. *Ab.*

FRAU WOLFF *wirft einen schnellen Blick auf den Haufen
Knüppelholz und beginnt resolut ihn wegzuräumen.* Komm,
Mädel, hilf, daß mersch Holz wegkriegen.

ADELHEID. Warum denn, Mama? Ach, wegen Herr Krüger.

FRAU WOLFF. Weswegen denn sonst, tumme Gans! Geheert
sich das woll, wie das bei uns aussieht? Is das ane Art am
Sonntagmorgen? Was soll denn Herr Krieger von uns denken? *Krüger erscheint, echauffiert, die Wolffen ruft ihm
entgegen.* Herr Krieger, sehn Se sich ock nich um. Bei uns
sieht's noch gar sehr schrecklich aus.

KRÜGER, *sich überhastend.* Chuten Morgen! Chuten Morgen!
Das lassen Sie kut sein. Sie kehn die kanze Woche auf
Arbeit, da kann am Sonntag nicht alles kefegt sein. Sie sind
eine ordentliche Frau. Sie sind eine ehrliche Frau, Frau
Wolffen. Und was zwischen uns ist vorkefallen, das wollen
wir känzlich verkessen, denk' ich.

FRAU WOLFF, *gerührt mit dem Schürzenzipfel zuweilen die
Augen trocknend.* Ich hab niemals nischt gegen Ihn gehabt.
Ich hab immer gern bei Ihn gearbeit. Aber da Se halt gleich
a so heftig wurden, da geht halt de Bost ooch amal mit een
durch, 's hat een ja leed genug getan.

KRÜGER. Sie kommen wieder und waschen bei uns! Wo ist
Ihre Tochter, die Leontine?

FRAU WOLFF. Sie is mit Grienkohl beim Postvorsteher.

KRÜGER. Das Mädchen keben Sie wieder zu uns. Statt zwanzig bekommt sie dreißig Taler. Wir waren sonst immer mit ihr zufrieden. Verkeben und verkessen wir alles! *Er reicht ihr die Hand, die Wolffen schlägt ein.*

FRAU WOLFF. Das hätte ja alles gar nich sein brauchen. Das Mädel is halt noch a tummes Kind. Mir Alten ham uns doch immer vertragen.

KRÜGER. Die Sache ist also abkemacht. *Verschnaufend.* Da bin ich doch wenigstens so weit beruhigt. — Nu sagen Sie bloß. Was mir passiert ist. Was sagen Sie dazu?

FRAU WOLFF. Ach, wissen Se, nee . . . ich sage schonn gar nischt.

KRÜGER. Da haben wir nun diesen Herrn von Wehrhahn. Die ehrlichen Bürger kujonieren, Schikanen und Quälereien erdenken. In was steckt der Mann seine Nase nicht alles!

FRAU WOLFF. Bloß wo a se haben soll, hat a se nich.

KRÜGER. Ich kehe jetzt hin und mache die Anzeige. Ich lasse nicht locker, die Sache muß rauskommen.

FRAU WOLFF. Das lassen Sie ja nich sitzen, Herr Krieger!

KRÜGER. Und wenn ich soll alles auf den Kopf stell'n. Meinen Pelz werd' ich wiederbekommen, Frau Wolff.

FRAU WOLFF. Hier muß amal richtig gereenigt werden, daß amal Ruhe wird in dem Nest. Die stehlen een ja sonstl's Dach ieberm Koppe.

KRÜGER. Nu denken Sie sich um Chottes willen! In vierzehn Tagen zwei solche Diebstähle! Zwei Meter Knüppel, wie Sie dort haben. *Er nimmt einen der Knüppel in die Hand.* So chutes, teures Holz, Frau Wolff.

FRAU WOLFF. Nee, ärgern kennt ma sich, daß ma grien wird. Was hier fer ane Bande sitzt . . . Pfui Teufel! Nee sowas!! äh! Laßt mich zufriede!

KRÜGER *ficht wütend mit dem Knüppel in der Luft herum.* Und wenn's mich tausend Taler kost't, ich werde den Tieben schon auf die Spur komm'n. Die Leute entkehen dem Zuchthause nicht.

FRAU WOLFF. Das wär ooch a Segen. Wahrhaft'gen Gott!

VIERTER AKT

Im Amtslokal. Glasenapp sitzt auf seinem Platz. Frau Wolff
mit Adelheid, die ein in Leinwand gewickeltes Paketchen vor
sich auf dem Schoße hat, wartet auf den Amtsvorsteher.

FRAU WOLFF. A bleibt ja heute wieder gar lange.

GLASENAPP, *schreibend.* Jeduld! Jeduld!

FRAU WOLFF. Na, wenn a heut wieder so spät kommt, da hat
a doch wieder nicht Zeit fer uns.

GLASENAPP. I, Jott! Mit euern Lappalien da! Wir haben janz
andre Dinge zu tun.

FRAU WOLFF. Ihr werd't ooch scheene Dinge ze tun haben.

GLASENAPP. Det is ja keen Ton. Det paßt sich janich!

FRAU WOLFF. I, haben Se sich bloß a bißl mehr. Das Mädel
hat Krieger hierhergeschickt.

GLASENAPP. Mal wieder die Pelzjeschichte, was?

FRAU WOLFF. Ooch noch!

GLASENAPP. Da hat doch der alte Kerl mal was. Da kann er
sich doch 'n bißken ins Zeug legen, der olle o-beinige
Scherulant.

FRAU WOLFF. Ihr mault bloß; seht lieber, daß'r was raus-
kriegt.

MITTELDORF *erscheint in der Tür.* Se soll'n mal rüberkomm,
Jlasenapp. Herr Vorsteher will wat von Sie wissen.

GLASENAPP. Muß ich schon wieder mal unterbrechen. *Wirft*
die Feder weg und geht hinaus.

FRAU WOLFF. Gu'n Morgen, Mitteldorf.

MITTELDORF. Juten Morjen!

FRAU WOLFF. Wo bleibt'n der Vorsteher aso lange?

MITTELDORF. Schreibt janze Boochen voll, Mutter Wolffen. 's
sin wichtche Sachen, det kann ich Ihn sachen. *Vertraulich.*
Und wissen Se: 't liejt wat in de Luft. —Wat, weeß ich noch
nich. Aber det wat liejt, det weeß ick so sicher... Wenn Se
bloß man acht jeben, denn werns Se's erleben. Et kracht,
und wenn et kracht, Mutter Wolffen, denn — hat et jekracht.
Nee, wie jesacht, ick versteh ja nischt von. Det is allens de
Neuheit. De Neuheit is allens. Und von de Neuheit versteh
ick nischt. Et muß wat jeschehn. Det jeht nich so weiter.
Der janze Ort muß jesäubert wern. Ick finde mich ja nu
nich mehr so rin. Wat der Vorsteher war, der jestorben is,

det war jejen den bloß 'n Eckensteher. Ick könnte Ihn'n all
noch ville erzähl'n. Ick hab man nich Zeit. Der Baron ver-
mißt mir. *Geht, in der Tür wendet er sich noch einmal und
sagt:* Et kracht, Mutter Wolffen, det können Se mir jlooben.
Ab.

FRAU WOLFF. Na, wenn's ock bei dem nich etwa geschnappt
hat. *Pause.*

ADELHEID. Wat soll ick denn sachen? Ick hab 't verjessen.

FRAU WOLFF. Was haste denn zum Herr Krieger gesagt?

ADELHEID. Na, det ick det Pack hier jefunden habe.

FRAU WOLFF. Sonst bräuchste ooch hier nischt weiter zu
sagen. Bloß, daß de forsch bist und resolut. Du bist doch
sonst nich uffs Maul gefallen.

WULKOW *kommt herein.* Ick wünsche juten Morjen!

FRAU WOLFF *starrt sprachlos auf Wulkow, dann.* Nee, aber
Wulkow, Ihr seid woll gar nich mehr gescheit?! Was wollt
Ihr denn hier?

WULKOW. Na, meine Frau hat wat Kleenes jekriecht.

FRAU WOLFF. Was hat se gekriegt?

WULKOW. 'n kleenet Mächen. Da muß ick all komm uf't
Standesamt.

FRAU WOLFF. Ick denke, Ihr seid schon längst im Kanale?

WULKOW. Ick hätte all ooch nischt dajejen, Wolffen. Wenn't
bloß an mir läje, wär ick't ooch. Ick hebbe ja ooch jleich
losjemacht. Un wie ick komme bis bei de Schleusen, da
jeht et nich weiter. Nu hebb ich jelauert, det de Spree sollte
loslassen. Zwee Tache un Nächte hebb ich jelejen, bis det
nu mit meine Frau noch zukam. Denn half keen Jammern,
denn mußt ick retour.

FRAU WOLFF. Da habt'r a Kahn wieder an der Bricke?

WULKOW. Na immer. Wo soll ick den hebben all?

FRAU WOLFF. Nu laßt mich zufriede.

WULKOW. I, wenn se man bloß nischt jerochen hebben.

FRAU WOLFF. Geh, hol fer zehn Fennig Zwirn beim Koof-
mann!

ADELHEID. Det hol ick, wenn ick nach Hause jeh.

FRAU WOLFF. Du gehst und maulst nich!

ADELHEID. Ick bin doch keen kleenes Mächen mehr. *Ab.*

FRAU WOLFF, *heftig.* Da habt Ihr dort an der Schleuße ge-
legen?

WULKOW. Zwee janze Tage. Wat ick Ihn sache.

FRAU WOLFF. Nu, laßt Euch verglasen. Ihr seid a Kerl — a Pelz zieht Ihr an am lichten Tage.

WULKOW. Ick? Anjezochen?

FRAU WOLFF. Ja, angezogen, am hellen Tage. Daß 's der ganze Ort glei zu wissen kriegt, was Ihr fer an scheenen Pelz anhat.

WULKOW. Det war ja all mittendrin in de Heide.

FRAU WOLFF. 'ne Viertelstunde von unsern Hause. Mei Mädel hat Euch doch sitzen sehn. Se mußte a Doktor Fleischer rudern, und der hat ooch gleich an Verdacht gefaßt.

WULKOW. Da weeß ick nischt von, det jeht mir nischt an. *Man hört jemand kommen.*

FRAU WOLFF. Pst, sein Se bloß jetzt uff'n Posten, Wulkow!

GLASENAPP *kommt eilig herein, etwa in der Weise des Amtsvorstehers. Fragt Wulkow von oben herab.* Was haben Sie denn?

WEHRHAHN, *noch außen.* Was willst du denn, Mädchen? Du kommst zu mir? Man also rein! *Wehrhahn läßt Adelheid vor sich eintreten und folgt ihr.* Viel Zeit hab' ich heute nicht. Ach so, du bist wohl die kleine Wolff? Na setz dich mal hin! Was hast du denn da?

ADELHEID. Ick hab das Paket...

WEHRHAHN. Na wart erst mal... *Zu Wulkow.* Was haben Sie denn?

WULKOW. Eine Jeburt möcht ick anmelden.

WEHRHAHN. Also standesamtlich. Die Bücher, Glasenapp! Das heißt, ich will erst das andere erledigen. *Zu Frau Wolff.* Was gibt es denn da mit Ihrer Tochter? Hat Krüger sie wieder mal geohrfeigt?

FRAU WOLFF. Nee, so weit hat a's woll doch nich getrieben.

WEHRHAHN. Was ist denn dann los?

FRAU WOLFF. Halt mit den Paket...

WEHRHAHN, *zu Glasenapp.* Ist Motes noch immer nicht dagewesen?

GLASENAPP. Bis jetzt noch nicht.

WEHRHAHN. Mir unbegreiflich! Na, Mädchen, was willst du?

GLASENAPP. Es betrifft den gestohlenen Pelz, Herr Vorsteher.

WEHRHAHN. Ach so. Das ist mir heute nicht möglich. Wer

kann denn alles auf einmal tun! *Zu Frau Wolff.* Sie kann
sich mal morgen bei mir melden.

FRAU WOLFF. Se hat schon a paarmal woll'n mit Ihn reden.

WEHRHAHN. Dann versucht sie's morgen zum drittenmal.

FRAU WOLFF. Herr Krieger läßt se halt gar nich mehr locker.

WEHRHAHN. Was hat Herr Krüger damit zu tun?

FRAU WOLFF. 's Mädel war bei 'm mit dem Paketel.

WEHRHAHN. Was ist das für 'n Lappen? Zeigen Sie mal.

FRAU WOLFF. Das hängt mit der Pelzgeschichte zusammen.
Heeßt das: Herr Krieger is eben der Meinung.

WEHRHAHN. Was ist denn drin in dem Lappen, was?

FRAU WOLFF. 'ne griene Weste is drin vom Herr Krieger.

WEHRHAHN. Das hast du gefunden?

ADELHEID. Ick hab et jefunden, Herr Amtsvorsteher!

WEHRHAHN. Wo hast du's gefunden?

ADELHEID. Det war, wie ick mit Maman zur Bahn jing. Da
jing ick so und da...

WEHRHAHN. Laß man gut sein. *Zu Frau Wolff.* Das deponie-
ren Sie doch mal zunächst! Wir werden morgen darauf zu-
rückkommen.

FRAU WOLFF. Mir wär's schonn recht...

WEHRHAHN. Und wem denn nicht?

FRAU WOLFF. Herr Krieger is bloß zu eifrig dahinter.

WEHRHAHN. Herr Krüger, Herr Krüger, der ist mir ganz
gleichgültig. Der Mann belästigt mich geradezu. Man kann
doch so was nicht übers Knie brechen. Er hat ja Belohnung
ausgesetzt, es ist ja im Amtsblatt bekanntgegeben.

GLASENAPP. Dem Mann jeschieht immer noch nicht jenug.

WEHRHAHN. Was soll das heißen: geschieht nicht genug? Wir
haben den Tatbestand aufgenommen. Seine Waschfrau ist
ihm verdächtig gewesen, wir haben Haussuchung vor-
genommen. Was will er denn noch? Der Mann soll doch
still sein. Nun, wie jesagt, morjen steh' ich zu Diensten.

FRAU WOLFF. Uns is das egal, mir kommen ooch wieder.

WEHRHAHN. Na ja, morgen früh.

FRAU WOLFF. Gu'n Morgen!

ADELHEID *knickst.* Guten Morjen!

Frau Wolff und Adelheid ab.

WEHRHAHN, *in Akten wühlend, zu Glasenapp.* Ich bin doch
neugierig, was da rauskommt. Herr Motes will nun auch

Zeugen stellen. Er meint, die Dreiern, die Kuchenhexe, die
habe mal grade dabeigestanden, als Fleischer sich despek-
tierlich aussprach. Wie alt ist denn die Dreiern, sagen Sie
mal?

GLASENAPP. So gegen siebzig Jahre, Herr Vorsteher.

WEHRHAHN. 'n bißchen verschnupft, was?

GLASENAPP. Na, wie man's nimmt. Sie hat die Gedanken noch
ziemlich beisammen.

WEHRHAHN. Ich kann Ihnen sagen, Glasenapp, es wäre mir
eine direkte Genugtuung, hier mal recht gründlich zwi-
schenzufahren. Daß die Leute merken, mit wem sie's zu
tun haben. Bei Kaisers Geburtstag, wer war nicht dabei?
Natürlich der Fleischer. Dem Mann trau' ich das Schlimmste
zu. Wenn der noch so schafsdumme Jesichter macht! Man
kennt sie ja, diese Wölfe im Schafspelz. Können keiner
Fliege ein Beinchen ausreißen, aber wenn's drauf ankommt, sprengen die Hunde janze jroße Ortschaften in die
Luft. Der Boden soll ihnen doch hier etwas heiß werden!

MOTES *kommt.* Jehorsamer Diener!

WEHRHAHN. Na also, wie steht's?

MOTES. Frau Dreier will jejen elf Uhr hier sein.

WEHRHAHN. Die Sache wird einiges Aufsehen machen. Es
wird ein großes Geschrei entstehen. Der Wehrhahn mischt
sich in alles hinein. Nun, Gott sei Dank, ich bin drauf gefaßt. Ich stehe hier ja nicht zu meinem Vergnügen. Zum
Spaß hat man mich nicht hierhergesetzt. Da denken die
Leute, so'n Amtsvorsteher, das ist weiter nichts wie ein
höherer Büttel. Da mögen sie jemand anders hierher-
setzen. Die Herren freilich, die mich ernannt haben, die
wissen genau, mit wem sie's zu tun haben. Die kennen den
ganzen Ernst meiner Auffassung. Ich erfasse mein Amt als
heiljen Beruf. Bericht für die Staatsanwaltschaft hab' ich
verfaßt. Wenn ich ihn heute mittag abschicke, kann übermorgen Verhaftsbefehl hier sein.

MOTES. Nun wird man aber über mich herfallen.

WEHRHAHN. Sie wissen, mein Onkel ist Kammerherr. Ich
werde mal mit ihm über Sie sprechen. Potz Donnerwetter!
Da kommt der Fleischer! Was will denn der Mensch? Er hat
doch nicht etwa Lunte jerochen? *Es klopft, Wehrhahn
schreit:* Herein!

FLEISCHER *tritt ein, bleich und aufgeregt.* Guten Morgen! *Er bleibt ohne Antwort.* Ich möchte eine Anzeige machen, die sich auf den neulichen Diebstahl bezieht.

WEHRHAHN, *mit durchdringendem Polizeiblick.* Sie sind der Doktor Joseph Fleischer?

FLEISCHER. Ganz recht. Joseph Fleischer ist mein Name.

WEHRHAHN. Sie wollen mir eine Anzeige machen?

FLEISCHER. Wenn Sie gestatten, so möcht' ich das tun. Ich habe nämlich etwas beobachtet, was möglicherweise dazu führt, dem Pelzdieb auf die Spur zu kommen.

WEHRHAHN *trommelt auf den Tisch und sieht sich mit einem Ausdruck gemachten Befremdens bei den Anwesenden um, diese zum Lächeln herausfordernd. Anteillos.* Was haben Sie nun also so Wichtiges beobachtet?

FLEISCHER. Das heißt, wenn Sie etwa von vornherein auf meine Mitteilung keinen Wert legen, dann würde ich vorziehen...

WEHRHAHN, *schnell, hochmütig.* Was würden Sie vorziehn?

FLEISCHER. Ich würde vorziehn, darüber zu schweigen.

WEHRHAHN *wendet sich schweigend und gleichsam nicht begreifend an Motes, dann verändert, beiläufig.* Meine Zeit ist etwas in Anspruch genommen. Ich möchte Sie bitten, sich kurz zu fassen.

FLEISCHER. Meine Zeit ist ebenfalls eingeteilt. Indessen hielt ich mich für verpflichtet...

WEHRHAHN, *hinredend.* Sie hielten sich für verpflichtet. Gut. Nun sagen Sie also, was Sie wissen.

FLEISCHER, *mit Überwindung.* Ich bin also gestern Kahn gefahren. Ich hatte den Kahn von der Wolffen genommen. Und ihre Tochter saß vorn am Ruder.

WEHRHAHN. Gehört das denn unbedingt zur Sache?

FLEISCHER. Ja, allerdings — nach meiner Meinung.

WEHRHAHN, *ungeduldig trommelnd.* Schon gut, schon gut, daß wir weiterkommen.

FLEISCHER. Wir fuhren bis in die Nähe der Schleusen. Da hatte ein Spreekahn angelegt. Das Eis, wie wir sahen, war dort aufgestaut. Wahrscheinlich war er dort festgefahren.

WEHRHAHN. Hm. So. Das interessiert uns nun weniger. Was ist denn der Kern von der ganzen Sache?

FLEISCHER, *mit Gewalt an sich haltend.* Ich muß gestehen,

daß diese Art... Ich komme hierher durchaus freiwillig, einen freiwilligen Dienst der Behörde zu leisten...

GLASENAPP, *frech.* Der Herr Amtsvorsteher hat nicht Zeit. Sie sollen nur weniger Worte machen. Sie sollen es kurz und bündig sagen.

WEHRHAHN, *heftig.* Die Sache! Die Sache! Was wollen Sie denn?

FLEISCHER, *mit Überwindung.* Es liegt mir daran, daß die Sache entdeckt wird. Und im Interesse des alten Herrn Krüger werd' ich...

WEHRHAHN, *gähnend, uninteressiert.* Es blendet mich, schließen Sie mal die Rouleaus!

FLEISCHER. Auf dem Kahne befand sich ein alter Schiffer, wahrscheinlich der Eigentümer des Schiffes.

WEHRHAHN, *wie vorher, gähnend.* Ja, höchstwahrscheinlich.

FLEISCHER. Dieser Mann saß auf dem Deck in einem Pelze, den ich aus der Ferne für Biber hielt.

WEHRHAHN, *wie vorher.* Ich hätt' ihn vielleicht für Marder gehalten.

FLEISCHER. Ich fuhr heran, soweit es möglich war, und konnte so ziemlich gut beobachten. Es war ein dürftiger, schmuddliger Schiffer, und der Pelz schien durchaus nicht für ihn gemacht. Es war auch ein nagelneues Stück...

WEHRHANH, *scheinbar zu sich kommend.* Ich höre, ich höre, — nun? Und? Was weiter?

FLEISCHER. Was weiter? Nichts!

WEHRHAHN, *scheinbar auflebend.* Sie wollten mir doch eine Anzeige machen. Von etwas Wichtigem sprachen Sie doch.

FLEISCHER. Ich habe gesagt, was ich sagen wollte.

WEHRHAHN. Sie haben uns hier eine Geschichte erzählt von einem Schiffer, der einen Pelz trägt. Nun, Schiffer tragen mitunter Pelze. Das ist keine große Neuigkeit.

FLEISCHER. Darüber denken Sie so oder so. Unter diesen Verhältnissen bin ich am Ende. *Er geht ab.*

WEHRHAHN. Ist Ihnen wohl so was mal vorgekommen? Der Mann ist ja bodenlos dumm außerdem. Ein Schiffer hat einen Pelz angehabt. Ist der Mann wohl plötzlich verrückt geworden? Ich besitze ja selbst einen Biberpelz. Ich bin doch deshalb noch lange kein Dieb. — Schockschwerenot! was ist denn das wieder? Es soll wohl heute gar keine Ruhe werden. *Zu Mitteldorf, der an der Tür steht.* Sie lassen jetzt niemand weiter herein! Herr Motes, tun Sie mir den Gefallen, gehen Sie, bitte, rüber in meine Privatwohnung! Wir können dort ungestörter verhandeln. — Zum soundso vielten Mal dieser Krüger. Der ist ja wie von Taranteln gestochen. Wenn der alte Esel fortfährt, mich zu plagen, da fliegt er noch mal zur Tür raus.

Krüger wird in Begleitung von Fleischer und Frau Wolff in der offenen Tür sichtbar.

MITTELDORF, *zu Krüger.* Herr Vorsteher ist nicht zu sprechen, Herr Krüger.

KRÜGER. Ach was! Nicht zu sprechen! Das ist mir kanz kleichgültig. *Zu den übrigen.* Immer vorwärts, vorwärts. Das will ich mal sehen.

Alle, Krüger voran, treten ein.

WEHRHAHN. Ich möchte um etwas mehr Ruhe bitten. Wie Sie sehen, habe ich hier noch zu verhandeln.

KRÜGER. Verhandeln Sie ruhig, wir können warten. Dann werden Sie wohl auch mit uns verhandeln.

WEHRHAHN, *zu Motes.* Also bitte, drüben in meiner Privatwohnung, und wenn Sie Frau Dreier etwa sehen, ich möchte sie auch lieber drüben verhören. Sie sehen ja selbst: hier ist es unmöglich.

KRÜGER, *auf Fleischer zeigend.* Der Herr hier weiß auch etwas von der Frau Treier. Kann Ihnen sokar etwas Schriftliches keben.

MOTES. Gehorsamer Diener, empfehle mich bestens. *Ab.*

KRÜGER. Der Mann hat's nötig, sich zu empfehlen.

WEHRHAHN. Ich bitte, enthalten Sie sich Ihrer Bemerkungen.

KRÜGER. Das sage ich noch mal: der Mann ist ein Schwindler!

WEHRHAHN, *als ob er es nicht gehört, zu Wulkow.* Nun also, was gibt's? Erst werde ich Sie abfertigen. Die Bücher, Glasenapp! — Lassen Sie mal. Ich will mir erst das mal vom Halse schaffen. *Zu Krüger.* Ich werde erst Ihre Sache erledigen.

KRÜGER. Ja, darum wollt' ich auch tringend bitten.

WEHRHAHN. Wir wollen mal von dem »dringend« ganz absehen. Was hätten Sie also für ein Anliegen?

KRÜGER. Kein Anliegen. Kar kein Anliegen hab' ich. Ich komme, mein kutes Recht zu beanspruchen.

WEHRHAHN. Was wäre das für ein gutes Recht?

KRÜGER. Mein kutes Recht, Herr Amtsvorsteher. Das Recht,
das ich habe, als ein Bestohlener, daß die Ortsbehörde mir
Beistand leistet, mein gestohlenes Gut zurückzuerhalten.

WEHRHAHN. Ist Ihnen der Beistand verweigert worden?

KRÜGER. Nein, kar nicht. Das kann ja auch kar nicht sein.
Aber dennoch sehe ich, daß nichts keschieht! Die kanze
Sache nimmt keinen Fortgang.

WEHRHAHN. Sie glauben, das geht so im Handumdrehen?

KRÜGER. Ich klaube kar nichts, Herr Amtsvorsteher. Ich
wäre dann wohl nicht hergekommen. Ich habe vielmehr
bestimmte Beweise. Sie nehmen sich meiner Sache nicht an.

WEHRHAHN. Ich könnte Sie jetzt schon unterbrechen. Etwas
Weiteres der Art anzuhören, läge ganz außer meiner Amts-
pflicht. Einstweilen reden Sie aber nur weiter!

KRÜGER. Sie könnten mich kar nicht unterbrechen. Als preu-
ßischer Staatsbürger habe ich Rechte. Und wenn Sie mich
hier unterbrechen, dann kiebt es andere Orte zum Reden.
Sie nehmen sich meiner Sache nicht an.

WEHRHAHN, *scheinbar gelassen.* Nun bitte, wollen Sie das
begründen!

KRÜGER, *auf die Wolffen zeigend.* Hier, diese Frau ist zu
Ihnen gekommen. Ihre Tochter hat einen Fund kemacht.
Sie hat den Weg nicht kescheut, Herr Vorsteher, obkleich sie
doch eine arme Frau ist. Sie haben sie einmal abkewiesen,
und heute ist sie wieder gekommen...

FRAU WOLFF. Er hatte halt doch keine Zeit, der Herr Vorsteher.

WEHRHAHN. Ach bitte, weiter!

KRÜGER. Ich bin auch durchaus noch lange nicht fertig. Was
haben Sie zu der Frau kesagt? Sie haben der Frau kanz
einfach kesagt: Sie hätten jetzt keine Zeit für die Sache.
Sie haben nicht einmal die Tochter verhört. Sie wissen auch
nicht den keringsten Umstand; von dem kanzen Vorfall
wissen Sie kar nichts.

WEHRHAHN. Jetzt möcht' ich Sie bitten, sich etwas zu mäßi-
gen.

KRÜGER. Ich bin kemäßigt, ich bin sehr kemäßigt. Ich bin
viel zu kemäßigt, Herr Amtsvorsteher. Ich bin noch ein viel
zu kemäßigter Mensch. Was sollte ich sonst zu so etwas sagen?

Was ist das für eine Art Untersuchung? Dieser Herr hier,
Herr Fleischer, ist bei Ihnen kewesen, mit einer Beobachtung, die er kemacht hat. Ein Schiffer trägt einen Biberpelz...

WEHRHAHN, *die Hand erhebend.* Pst, warten Sie mal! *Zu
Wulkow.* Sie sind doch Schiffer?

WULKOW. Seit dreißig Jahren hebb ick jeschiffwerkt.

WEHRHAHN. Sie sind wohl schreckhaft? Sie zucken ja so.

WULKOW. Ick hebbe mir richtig 'n bißken verschrocken.

WEHRHAHN. Tragen nun die Spreeschiffer öfter Pelze?

WULKOW. Manch eener hat seinen Pelz, immerzu.

WEHRHAHN. Der Herr dort hat einen Schiffer gesehn, der hat
im Pelz auf dem Deck gestanden.

WULKOW. Da is nischt Verdächtijes bei, Herr Vorsteher. Da
sin ville, die schöne Pelze hab'n. Ick hebbe sojar all ooch
selber eenen.

WEHRHAHN. Na sehn Sie, der Mann hat selbst einen Pelz.

FLEISCHER. Aber schließlich doch keinen Biberpelz.

WEHRHAHN. Das haben Sie ja nicht genau gesehen.

KRÜGER. Wa? Hat der Mann einen Biberpelz?

WULKOW. Da jibt et ville, kann ick Ihn sachen, die hebben die
schönsten Biberpelze. Warum ooch nich? 's Jeld langt ja all zu.

WEHRHAHN, *im Vollgefühle des Triumphes mit gemachter
Gleichgültigkeit.* So. *Leichthin.* Bitte, fahren Sie fort, Herr
Krüger. Das war so ein kleiner Abstecher. Ich wollte Ihnen
nur mal vor Augen führen, was es auf sich hat mit dieser
»Beobachtung«. — Sie sehen, der Mann hat selbst einen
Pelz. *Wieder heftig.* Es wird uns doch deshalb im Traume
nicht einfallen, zu sagen, er hätte den Pelz gestohlen. Das
wäre ja eine Absurdität.

KRÜGER. Wa? Ich verstehe kein Wort davon.

WEHRHAHN. Da muß ich noch etwas lauter reden. Und da ich
mal gerade im Reden bin, da möchte ich Ihnen auch gleich
mal was sagen. Nicht in meiner Eigenschaft als Beamter,
sondern einfach als Mensch wie Sie, Herr Krüger. Ein
immerhin ehrenwerter Bürger, der sollte mit seinem Vertrauen mehr haushalten, sich nicht auf das Zeugnis von
Leuten berufen...

KRÜGER. Mein Umkang, mein Umkang?

WEHRHAHN. Jawohl, Ihr Umgang.

KRÜGER. Da geben Sie nur auf sich selber acht! Solche Leute wie Motes, mit dem Sie umkehen, die sind bei mir aus dem Hause keflogen.

FLEISCHER. Dem Mann, der in Ihrer Privatwohnung wartet, dem hab' ich bei mir die Tür gewiesen.

KRÜGER. Er hat mich um meine Miete beschwindelt.

FRAU WOLFF. Da sein er nich viele hier am Orte, die der nich hat hinten und vorne beschwindelt, um Behms, um Märker, um Taler, um Goldsticke.

KRÜGER. Der Mann hat das richtige Steuersystem.

FLEISCHER *zieht aus seiner Tasche ein Papier.* Der Mann ist auch reif für den Staatsanwalt. *Er legt das Papier auf den Tisch.* Ich bitte gefälligst, das durchzulesen.

KRÜGER. Das Blatt hat Frau Dreier selbst unterschrieben. Er hat sie zum Meineid verleiten wollen.

FLEISCHER. Sie hat sollen aussagen gegen mich.

KRÜGER, *Fleischer anfassend.* Das ist ein unpescholtner Mann, und den will dieser Schuft ins Elend bringen. Und Sie reichen dem Menschen dazu die Hand.

WEHRHAHN, *gleichzeitig mit Krüger, Fleischer und Glasenapp.* Ich bin nun am Ende mit meiner Geduld. Was Sie mit dem Manne zu verhandeln haben, das geht mich nichts an und ist mir auch gleichgültig. *Zu Fleischer.* Entfernen Sie mal den Wisch da gefälligst!

KRÜGER, *abwechselnd zur Wolffen und zu Glasenapp.* Das ist der Freund des Herrn Amtsvorstehers. Das ist der Kewährsmann. Ein schöner Kewährsmann. Ein Revolvermann, woll'n wir mal lieber sagen.

FLEISCHER, *zu Mitteldorf.* Ich bin keinem Menschen Rechenschaft schuldig. Was ich tu' und lasse, ist meine Sache. Mit wem ich umgehe, ist meine Sache. Was ich denke und schreibe, ist meine Sache.

GLASENAPP. Man kann ja sein eigenes Wort nicht verstehen. Herr Vorsteher, soll ich vielleicht den Gendarm holen? Ich springe schnell rüber. Mitteldorf!...

WEHRHAHN. Ich bitte um Ruhe! *Ruhe tritt ein. Zu Fleischer.* Entfernen Sie mal den Wisch da gefälligst!

FLEISCHER *tut es.* Der Wisch da kommt vor den Staatsanwalt.

WEHRHAHN. Das mögen Sie halten, wie Sie wollen. *Er steht auf und nimmt aus dem Schrank das Paket der Frau Wolff.*

Damit diese Sache nun aus der Welt kommt. *Zu Frau Wolff.*
Wo haben Sie also das Ding gefunden?

FRAU WOLFF. Ich hab's doch gar nich gefunden, Herr Vorsteher.

WEHRHAHN. Na wer denn sonst?

FRAU WOLFF. Meine jingste Tochter.

WEHRHAHN. Warum haben Sie die nicht mitgebracht?

FRAU WOLFF. Sie war ja doch da, Herr Amtsvorsteher. Ich
kann se ja auch schnell rieberholen.

WEHRHAHN. Das verzögert doch aber die Sache bedeutend.
Hat Ihnen das Mädel denn nichts erzählt?

KRÜGER. Sie sagten doch, auf dem Wege zum Pahnhof.

WEHRHAHN. Der Dieb ist also wohl nach Berlin. Da werden
wir schlechtes Suchen haben.

KRÜGER. Ich klaube das kar nich, Herr Amtsvorsteher. Herr
Fleischer hat eine kanz richtige Ansicht. Die kanze Sache
mit dem Paket ist angelegt, um uns irrezuführen.

FRAU WOLFF. Ooch noch! Das kann ganz gutt meeglich sein.

WEHRHAHN. Na, Wolffen, Sie sind doch sonst nich so dumm.
Was hier gestohlen wird, geht nach Berlin. Der Pelz war
längst in Berlin verkauft, noch eh wir hier wußten, daß er
gestohlen war.

FRAU WOLFF. Herr Vorsteher, nee, ich kann m'r nich helfen.
Da bin ich doch nich ganz Ihrer Meenung. Wenn der Dieb
in Berlin is, da mecht ich wissen: was braucht der a so a
Paket zu verlieren?

WEHRHAHN. Man verliert doch so was nicht immer absichtlichs

FRAU WOLFF. I, sehn Se sich bloß das Paket amal an, da is
alles so scheene zusammgepackt, de Weste, der Schlissel, da.
Stickel Papier...

KRÜGER. Ich klaube, der Dieb ist hier am Ort.

FRAU WOLFF. *Krüger bestärkend.* Na sehn Se, Herr Krüger.

KRÜGER *bestärkt.* Das klaub' ich bestimmt.

WEHRHAHN. Bedaure, ich neige nicht zu der Ansicht. Ich habe
eine viel zu lange Erfahrung...

KRÜGER. Was? Eine lange Erfahrung? Hm!

WEHRHAHN. Gewiß. — Auf Grund dieser langen Erfahrung
weiß ich, daß diese Möglichkeit kaum in Betracht kommt.

FRAU WOLFF. Na, na, ma soll nischt verreden, Herr Vorsteher.

KRÜGER, *mit Bezug auf Fleischer.* Er hat aber doch einen
Schiffer gesehen...

WEHRHAHN. Ach, kommen Sie doch nicht mit dieser Geschichte. Da müßt' ich ja alle Tage Haussuchung halten,
mit zwanzig Gendarmen und Polizisten. Da müßt' ich bei
jedem einzelnen haussuchen.

FRAU WOLFF. Da fangen Se ock gleich bei mir an, Herr Vorsteher.

WEHRHAHN. Na, ist denn so was nicht lächerlich? Nein, nein,
meine Herren, so geht das nicht. So kommen wir nun und
nimmer zu etwas. Sie müssen mir gänzlich freie Hand lassen. Ich habe schon meine Verdachte gefaßt und will einstweilen nur noch beobachten. Es gibt hier so einige dunkle
Gestalten, die hab' ich schon lange aufs Korn genommen.
Frühzeitig fahren sie rein nach Berlin, mit schweren Huk-
ken auf dem Rücken, und abends kommen sie leer zurück.

KRÜGER. Die Chemüsefrauen gehen wohl so mit ihrem
Chemüse auf dem Rücken.

WEHRHAHN. Nich nur die Gemüsefrauen, Herr Krüger. Ihr
Pelz ist wahrscheinlich auch so gereist.

FRAU WOLFF. Das kann halt eben ooch meeglich sein. Un-
meeglich is halt nischt uff der Welt.

WEHRHAHN, *zu Wulkow*. Na also. Nun? Sie wollen anmelden.

WULKOW. 'n kleenet Mächen, Herr Amtsvorsteher.

WEHRHAHN. Ich werde also mein möglichstes tun.

KRÜGER. Ich lasse nicht eher Ruhe, Herr Vorsteher, als bis
ich zu meinem Pelze komme.

WEHRHAHN. Nun, was gemacht werden kann, wird gemacht.
Die Wolffen kann ja mal 'n bißchen rumhören.

FRAU WOLFF. Uff so was versteh ich mich eemal zu schlecht.
Aber wenn aso was nich rauskommt, nee, nee, wo bleibt da
ock alle Sicherheet!

KRÜGER. Sie haben kanz recht, Frau Wolffen, kanz recht.
Zu Wehrhahn. Ich bitte das Päckchen genau zu besichtigen.
Es ist eine Handschrift auf dem Zettel, die zu einer Ent-
deckung führen kann. Und übermorgen früh, Herr Vor-
steher, werd' ich wieder so frei sein, nachzufragen. Kuten
Morgen! *Ab*.

FLEISCHER. Guten Morgen. *Ab*.

WEHRHAHN, *zu Wulkow*. Sie sind wieviel Jahr' alt? Guten
Morgen, guten Morgen! — Bei den beiden Kerls ist was los
da oben. *Zu Wulkow*. Wie heißen Sie?

WULKOW. August Philipp Wulkow.

WEHRHAHN, *zu Mitteldorf*. Gehen Sie mal rüber in meine Wohnung. Da sitzt der Schriftsteller Motes und wartet. Sagen Sie ihm, es tät' mir leid, ich hätte heut morgen anderes zu tun.

MITTELDORF. Da soll er nich warten?

WEHRHAHN, *barsch*. Nicht warten! Nein!

Mitteldorf ab.

WEHRHAHN, *zu Frau Wolff*. Ist Ihnen der Schriftsteller Motes bekannt?

FRAU WOLFF. Bei so was, wissen Se, da schweig ich lieber. Da kennt ich Ihn nich viel Guttes erzählen.

WEHRHAHN, *ironisch*. Von Fleischer dagegen um so mehr.

FRAU WOLFF. Das is Ihn ooch wirklich ke iebler Mann.

WEHRHAHN. Sie wollen wohl 'n bißchen vorsichtig sein?

FRAU WOLFF. Nee, wissen Se, dazu taug ich nischt. Ich bin immer geradezu, Herr Vorsteher. Wenn ich mit'm Maule nich immer so vorneweg wär, da hätt ich kenn schonn viel weiter sein.

WEHRHAHN. Bei mir hat Ihnen das noch nicht geschadet.

FRAU WOLFF. Bei Ihn nich, nee, Herr Amtsvorsteher. Sie kenn ooch a offnes Wort vertragen. Vor Ihn da braucht ma sich nich zu verstecken.

WEHRHAHN. Kurz! Fleischer, das ist ein Ehrenmann.

FRAU WOLFF. Das is a ooch, ja, das is a ooch.

WEHRHAHN. Na, denken Sie mal an Ihr heutiges Wort!

FRAU WOLFF. Und Sie an meins!

WEHRHAHN. Gut, wollen mal sehn. *Er dehnt sich, steht auf und vertritt sich die Beine. Zu Wulkow.* Das ist nämlich hier unsere fleißige Waschfrau. Die denkt, alle Menschen sind so wie sie. *Zu Frau Wolff.* So ist's aber leider nicht in der Welt. Sie sehen die Menschen von außen an. Unsereins blickt nun schon etwas tiefer. *Er geht einige Schritte, bleibt dann vor ihr stehen und legt ihr die Hand auf die Schultern.* Und so wahr es ist, wenn ich hier sage: die Wolffen ist eine ehrliche Haut, so sag' ich Ihnen mit gleicher Bestimmtheit: Ihr Doktor Fleischer, von dem wir da sprechen, das ist ein lebensgefährlicher Kerl!

FRAU WOLFF, *resigniert den Kopf schüttelnd*. Da weeß ich nu nich...

»Es gibt keine Komödie, die keine Tragikomödie wäre«, war
Gerhart Hauptmanns wohlgegründete Überzeugung, und
auch dieses sein beliebtestes, bekanntestes, meistaufgeführ-
tes Lustspiel, die großartige, aus dem saftigen Boden der
Wirklichkeit erwachsene Diebs- und Richterkomödie vom
»Biberpelz« — das moderne Gegenstück zur andern Justiz-
komödie der deutschen Dichtung, zu Kleists »Zerbrochenem
Krug«, in der Weltliteratur das zu Gogols »Revisor« — ist in
jener höchsten Kategorie der dramatischen Dichtung daheim,
in der wir auch des Dichters »Schluck und Jau«, die »Ratten«
oder den »Roten Hahn« (die einst geringgeschätzte, heute
erst in ihrer konsequenten Tragikomik erkannte Fortsetzung
des »Biberpelzes«) als meisterliche Exemplare finden, in der
Gattung der Tragikomödie also, einem Gefilde, das zu er-
reichen der höchste (wenn auch vergebliche) Ehrgeiz Schillers
gewesen. Hauptmann bekannte sich ausdrücklich zur Überzeugung Schillers, daß die Komödie einem wichtigeren Ziele
noch entgegengehe als die Tragödie, ja daß sie, falls sie dieses
erreichte, die Tragödie im Grunde überflüssig machen würde.
Dieses Ziel aber sei »einerlei mit dem Höchsten, wonach der
Mensch zu ringen habe, frei von Leidenschaft zu sein, immer
klar, immer ruhig um sich und in sich zu schauen, überall
mehr Zufall als Schicksal zu finden und mehr über Un-
gereimtheit zu lachen, als über Bosheit zu zürnen oder zu
weinen«. Hauptmann sah tiefer als manche seiner Kritiker,
worum es in der Komödie geht: daß in ihrem Erlebens- wie
Werdens- und Wesensgrunde Leid überwunden wird und die
hohe Komödie so gleichsam eine überwundene Tragödie ist.
Gemeint ist jene echte Komödie, deren Ernst mit Frohsinn,
deren Frohsinn mit Ernst sich gattet, deren Tiefsinn den
Leichtsinn ruft; sie ist ein Ausdruck der geistigen oder
seelisch-biologischen Kraft, mit der es dem Menschen gelingt,
sich über das Leben zu erheben. Wer sich, wie es in der neue-
ren Ästhetik der Dichtkunst immer häufiger geschieht, zur
Komödie als zu einer Hoch-, als zu der Höchstform des Dramas
bekennt, der faßt sie als den (von jeder Zeit und jedem Dramatiker immer neu zu erkämpfenden) Sieg des Ideals über

das Leben (Muster: Satire, die ja eine Betrachtung der Wirklichkeit vom Standpunkt eines Ideals ist, sub specie universi et aeterni), als den Sieg des Mutes, des Glaubens, der Wahrheit über Resignation und Verzweiflung, insgesamt der lebendigen über die zerstörenden Kräfte.

So lachen wir auch hier, angesteckt vom Lachen jener Souveränität, mit der der Dichter die Dinge des Lebens, die Charaktere der Menschen und Menschlein sieht. Aber zugleich erschaudern wir ob des Bildes, das sich im Unter- und Hintergrunde der lustspielhaften Begebenheiten zeigt, und ob des Tiefenblicks auf Menschen, wie sie nicht nur dort und einst, vor 70 Jahren um Berlin, gelebt haben und wie sie der junge Hauptmann gleichsam persönlich kennenlernte (Wehrhahn war ein Amtsvorsteher v. Busse, Modell zur Mutter Wolffen stand die in Hauptmanns Haushalt tätig gewesene Frau Heinze, und hinter Dr. Fleischer versteckt sich der Dichter selbst), und am Ende des unerbittlich realistischen Stückes wird uns kein Pulverchen Moralin gegeben, auf daß wir leichter schliefen und das Gefühl von der Ungerechtigkeit der Welt nicht unsere Träume störte. Dummheit regiert die Welt, in der so oft, zu oft, einzig der äußere Erfolg entscheidet und der Zweck alle Mittel heiligt, das sagt uns der Dichter, das Lachen der Komik als Spiegel, aber auch als Waffe verwendend. Die Aufforderung aber: Macht es anders, macht die Welt besser, braucht, vorab vor jungen Menschen, gar nicht erst ausgesprochen zu werden.

Hauptmann hatte sein Talent zu Komik und Komödie schon, ehe er dieses sein sechstes Stück und zweites Lustspiel schrieb, an einzelnen Charakteren, etwa auch in den »Webern«, erwiesen (Frau Dreißiger, die Pastorin) und in der Charakterkomödie (nicht umsonst hatte eine Berliner Aufführung von Molieres »Der Geizige« den Dichter auf den Weg der Komödie gelenkt!) »Kollege Crampton« von 1892. Im Sinne des damals vorherrschenden Naturalismus, den Hauptmann selbst 1894 mit »Hanneles Himmelfahrt« sprengen sollte, war dieses Werk die erste in diesem Stile des äußersten Realismus konsequente Komödie, der »Biberpelz«, die zeitlich, nicht der Bedeutung nach, zweite. Das im Sommer 1892 im neuen Heime zu Schreiberhau begonnene, in Schaffenseile geschriebene und zu Anfang 1893 ebendort vollendete, im

gleichen Jahre erschienene wie auch (am 21. September im
Deutschen Theater zu Berlin) uraufgeführte Werk kam aus
dem Leben Hauptmanns wie aus dem Leben der Zeit: als
Ort der Handlung ist Erkner bei Berlin zu denken, wo der
Dichter bis September 1889 gewohnt, das Schlesische blieb
in Gestalt wie Dialekt der Mutter Wolffen gewahrt, deren
Urbild ein »altes, listiges Schreiberhauer Weiblein« war;
zeitlich ist das Stück von damals unmittelbarer »Aktualität«.
Es spielt in den Tagen des sog. Septennats- wie des Sozialisten-
kampfes: Bismarck hatte 1887 den Reichstag aufgelöst, der
eine Vermehrung des Heeres und die Festsetzung seiner
Stärke auf sieben Jahre abgelehnt hatte, gleichzeitig ging es
um eine Verlängerung des seit 1878 wirksamen und erst 1890
aufgehobenen Sozialistengesetzes, mit dem Bismarck sowohl
das Aufkommen der Sozialdemokraten (zu denen Hauptmann neigte, ohne ihnen anzugehören) verhindern wie den
Einfluß der Liberalen vermindern wollte. Für Hauptmann
aber waren die Jahre 1892/93 die des Kampfes um seine
»Weber« gewesen; die pfeilsicher treffende Satire seiner
Komödie ist eine Antwort auf jene Junker und Minister, die
im preußischen Landtag verlangten, daß der Verfasser dieses
»Umsturzdramas« hinter Schloß und Riegel gehöre...
Das Stück gehört zu den Siegeswerken des Naturalismus und
erhebt sich zugleich über ihn. Menschen, nicht Rollen, leben
vor uns auf einer Bühne, die in jedem Belange ein Ausschnitt
der Wirklichkeit ist. Und diese Menschen sprechen jeder in
seiner Mundart, und obendrein jeder in seinem Ton: der
Dialekt der Wolffen hat schlesische Grundfärbung, Krüger
sächselt, das Hochdeutsch Wehrhahns ist berlinerisch, während aus dem Jargon der Julian und Wulkow das ursprüng-
liche Plattdeutsch tönt. (Es ist Herzog Heinrich Julius von
Braunschweig, 1564—1613, gewesen, der als erster in Dramen
verschiedene Dialekte verwendet hat.) Was Hauptmann damit erreicht, ist aber schon fast etwas Übernaturalistisches:
die Wiedergabe der Volksseele, womit die Komödie zugleich
zum Volksstück im besten und zündendsten Sinn des Wortes
wird. Die äußerste Milieutreue, die erreicht ist, ließ das Wort
»Niederländerei« aufkommen: womit man die breit gemalte
Milieu-Atmosphäre ebenso gemeint hat wie das behaglich-
ironische (freilich mehr ironische als behagliche) Lachen, mit

dem der Dichter über die krausen Zustände dieser Welt zu lachen weiß; und natürlich denkt man dabei auch an Kleists Patenstück, das mit Hauptmanns Werk durch manche Ähnlichkeit verbunden, durch viele Unterschiede aber getrennt ist. Naturalistisch ist die mittelbare, allmähliche Art der Charakteristik und ist das scheinbar zufällig-absichtslose Kommen und Gehen der Personen, sind ihre scheinbar zusammenhanglosen Handlungen und Reden, die aber, in Wahrheit, doch unter einer großen Kompositionsidee stehen, wenn auch unter einer anderen als der klassischen oder überhaupt der bis dahin üblichen Dramaturgie; es ist eine Gestaltungsidee, die es durchaus verträgt, daß derselbe Vorgang sich zweimal wiederholt (der Diebstahl erst des Holzes, dann des Pelzes). Dies hat man gemeint, wenn man von dem Stück gesagt hat, es sei kein Handlungsdrama. (Nichtsdestoweniger lassen sich auch auf es die G. Freytagschen Spielregeln des Dramatischen lehrreich anwenden!) Und wenn man gesagt hat, daß das Stück (ohne seine Fortsetzung, den »Roten Hahn«, betrachtet) einen Schluß, aber kein Ende habe, da anders als bei Kleist unser Gerechtigkeitsempfinden unbefriedigt bleibe, so hängt dies mit dem pessimistischen, besser: tragikomischen Lebensgefühl des Dichters ebenso zusammen wie mit der Wirklichkeit des höchstrealistisch wiedergegebenen Lebens. In manchem aber führt, so sagten wir, gerade dieses Musterwerk des Naturalismus über eben diesen hinaus: es ist Teil jenes Protestes Hauptmanns gegen eine Gesellschaft, die die Weber verhungern und eine Rose Bernd verkommen ließ (und die nicht eine Wolffen und nicht einen Motes, wohl aber einen Dr. Fleischer verdächtigt!), es ist in diesem Sinne ein soziales Milieudrama, ein Sitten- und Charakterstück. Im Grunde wird der nackte Naturalismus aber auch durch die Komödienform als solche übersteigert; es ist eine bestimmte Form der künstlerischen Sicht und Auswahl nötig, um aus einem Stoff der Wirklichkeit gerade eine Komödie zu gestalten.

Diese hier gehört zu den gelungensten der Weltliteratur: sie vereinigt Charakter-, Situations-, Wort- und Anschauungskomik zu einem geschlossenen, fuglosen Ganzen, ihr glänzender, aus einem eigenen Komödien-Ethos geborener Schluß (Musterbeispiel einer komischen »Katastrophe«!) hat nur in dem des »Revisors« seinesgleichen. Daß nicht nur der realistische, sondern der moderne Dramatiker jedweden Stils ein festes Verhältnis zur Psychologie haben muß, ist selbstverständlich: nun, diese leibig-lebendigen Gestalten dieses Stücks sind von einer bezwingenden Echtheit, sie stehen aber nicht nur als Individuen vor uns, sie erscheinen auch als Zugehörige historisch-sozialer Lebenskreise: nicht nur Wehrhahn, der aufgeblähte Amtsvorsteher des konservativ-bismarckschen Deutschland, oder die Wolffen, als die aus dem Proletariat ins Kleinbürgertum aufstrebende Frau, die weiß, was es geschlagen hat. Unverlierbare Gestalten der Bühne: Mutter Wolffen, diese Diebin aus einer Art von familiärem Idealismus, diese, wie man sie genannt hat, »komische Lady Macbeth«, mit ihrer genial-instinktiven Überlegenheit eines völlig lebensicheren Weibes, ihrem pfiffigen Humor, der sich innerlich lustig macht über die Umwelt und die Torheit der Menschen, mit ihrer Sehnsucht nach ein wenig Glück, und werde es auch erst den Kindern zuteil — von denen nicht umsonst eins, Tochter einer solchen Mutter, zum Theater will —, mit ihrer Lebensphilosophie, die sie bei all ihren Diebereien ganz im Einverständnis mit sich selber sein läßt (sie stiehlt nicht, sie »stiebitzt, klaut und maust« nur!), diese tüchtige, derbe, gefällige Frau, der alles Waffe im Lebenskampf geworden (ihr Verstand, ganz im Sinne der Schopenhauerschen Lehre, Diener des Willens!), die eine neue, grausame Zeit heraufkommen spürt, in der der Schein mehr gilt als das Sein, die weiß: »Wer ni mitmacht, is faul, wer de mitmacht, is schlecht« (so im »Roten Hahn«) — eine unheimlich in unsere Zeit ragende Figur, mit der der Dichter die Schablone des traditionellen Lustspielpersonals gesprengt, mit der er eine der rundesten, kraftvollsten, lebendigsten Gestalten des deutschen Lustspiels, und darüber: der Weltliteratur geschaffen. Und Wehrhahn, der borniert-arrogante Streber, der, eine Art Amtsgott, aus dem Hüter des Rechts zum Schützer des Unrechts wird, bei all seiner komischen Hybris keine Karikatur und keine bloße Theaterfigur, sondern ein wirklicher Mensch, der keineswegs nur schlechte Seiten hat (so geht er mit der Wolffen recht menschlich um). Und weiter der cholerisch erregte Krüger, der breitschrötige Bär Wulkow, der dumpf-schwerfällige, gelegentlich zu Jähzornstößen anset-

zende Julian, der aufrecht-mutige Dr. Fleischer, der Schleicher und Schnüffler Motes, der nach oben buckelnde, nach
unten herrische Amtsschreiber Glasenapp, der still vor sich
hin säuselnde Mitteldorf, dazu Adelheid, die frühverdorbene
Range, und die faule, nicht sehr helle Leontine — es ist kein
Wunder, daß das Stück zu den bei unsern Schauspielern beliebtesten zählt.

Wenn der Dichter einmal gesagt, jedes Drama sei ein historisches, so gilt dies auch für unsern »Biberpelz«: es ist viel von
der Soziologie und inneren Situation des preußisch-deutschen
Staates um 1890 (und später) in ihm, es zeigt den Sumpfboden, auf dem dieser sich, für Jahrzehnte, erhob. Und doch
wirkt das Werk, dem erstaunlicherweise nicht bei seiner Uraufführung, sondern erst ab der des Wiener Deutschen Volkstheaters (April 1897) voller Erfolg zuteil wurde, heute mit
nicht nur unverminderter, im Gegenteil: mit verstärkter
Gewalt, es gehört längst zum »ewigen Spielplan« des deutschen, es ist im Repertoire des internationalen Theaters.
Gewiß, die Zeit der Junker und der Hohenzollern ist vorbei,
Wehrhahn ist in viele Masken geschlüpft seither, und seine
Verwandten sind längst nicht mehr nur in Preußen daheim —
heute wirkt das Werk nicht nur mit der Kraft der Heiterkeit
über historische Ereignisse oder Möglichkeiten, es wirkt mit
der Kraft der überzeitlichen und also allzeit gegenwärtigen
großen Komödie.

Das Fragezeichen aber, das über dem Schlusse steht, läßt uns
der Rätselhaftigkeit der menschlichen Natur ebenso innewerden wie der Unsicherheit des moralischen Lebens, in die
unser Jahrhundert erst vollends geraten ist.

Hubert Razinger

Bitte beachten Sie
die folgenden Seiten:

Gerhart
Hauptmann

Der Ketzer
von Soana

Ullstein Buch 3045

Hauptmann schildert in dieser
Erzählung den Weg eines
jungen katholischen Priesters
im Tessin und dessen Wand-
lung vom weltabgewandten
Asketen zum leidenschaft-
lichen Lebensbejahenden.
Die Erzählung lebt von nach-
haltigen Eindrücken, die
Hauptmann während seiner
Griechenlandreise empfing.
Sie vergegenwärtigt jene
Polarität von Askese und
Lebensfreude, die Hauptmann
aufzulösen sucht: Nur der
Eros als die »Gnadengabe
höchster Glückseligkeit« und
Hingabe an die Natur und
alles Natürliche führen zur
Erfüllung des Lebens.

ein Ullstein Buch

Hans
Schwab-Felisch

Gerhart
Hauptmann

Die Weber

Dichtung und Wirklichkeit
Band 1

Inhalt: Gerhart Hauptmann:
Die Weber (Vollständiger
Text) / Hans Schwab-Felisch:
»Die Weber« – ein Spiegel des
19. Jahrhunderts. Dokumente
und Berichte über den
Weberaufstand von 1844 /
Berichte zur Entstehungs-
geschichte der »Weber« /
Zeittafel / Quellen- und
Literaturverzeichnis.

ein Ullstein Buch

Peter Demetz

Die süße Anarchie

Skizzen zur deutschen
Literatur seit 1945

Ullstein Buch 2985

Die deutschsprachige
Literatur der Gegenwart ist
für Peter Demetz, einen der
profiliertesten jüngeren
Literaturwissenschaftler,
eine »süße Anarchie«. Sein
Buch jedoch macht die Literatur unserer Zeit verständ-
lich, ohne ihre widersprüch-
liche Entwicklung zu
verdecken. »Kein Buch für
meine akademischen Kollegen
allein, sondern ein Buch für
jeden Freund der Literatur.«
Peter Demetz

ein Ullstein Buch

Hermann Glaser
Jakob Lehmann
Arno Lubos

Wege der deutschen Literatur

Ein Lesebuch

Erweiterte Auflage mit
fünf neuen Textbeispielen
von Max Frisch, Siegfried
Lenz, Günter Grass,
Peter Handke und Günter Eich

Ullstein Buch 372

Die Textsammlung will
die literarhistorischen
Entwicklungslinien innerhalb
des deutschen Sprachraums
erleben lassen, die viel-
fältigen Wege der deutschen
Literatur aufzeigen und
nachvollziehbar machen. Die
exemplarisch zu verstehenden
Quellenauszüge spiegeln
über ihren geschichtlichen
Aspekt hinaus Welthaltung
und Lebensgefühl der
Epochen und Strömungen
und stellen somit in
künstlerischer Gestaltung
verdichtete menschliche
Zeugnisse dar.

ein Ullstein Buch

Jürgen Kolbe
(Herausgeber)

Ansichten einer
künftigen
Germanistik

Ullstein Buch 3017

Dieser Band enthält Beiträge
prominenter Literaturwissenschaftler zum Problem, zur
Krise, zu Möglichkeiten der
Germanistik.
»Es scheint an der Zeit,
neben der Kritik und über sie
hinaus nun auch Aussichten
darauf zu bieten, wie es in
dieser vielgeschmähten
Disziplin (der Germanistik)
weitergehen soll. Beides, die
kritischen Einwände und die
künftigen Möglichkeiten,
versucht dieser Band vor-
zuführen.«

Jürgen Kolbe

ein Ullstein Buch

Marcel
Reich-Ranicki

Literatur der
kleinen Schritte

Deutsche Schriftsteller heute

Ullstein Buch 2867

Eine kritische Auseinandersetzung mit den wesentlichen und charakteristischen Schriftstellern von heute – aus beiden Teilen Deutschlands, aus Österreich und der Schweiz. Mit zwingender Beweisführung wendet sich Reich-Ranicki gegen Modewertungen, gegen voreilige Überschätzung. Seine von Wissen, Witz und kritischem Elan getragenen Aufsätze zeigen die Autoren in einem deutlichen und oft überraschenden Licht.

ein Ullstein Buch

Hannah Arendt

Rahel
Varnhagen

Lebensgeschichte
einer deutschen Jüdin
aus der Romantik

Ullstein Buch 3091

Hier ist eine große »innere
Biographie« entstanden, eine
genau dokumentierte und
zugleich romanhaft spannende
Darstellung eines roman-
tischen Frauenschicksals.
»Es hat lange kein Buch
gegeben, in dem leiden-
schaftlichster Anteil am
Thema zu solcher Objektivi-
tät gebändigt ist. 1933 ›schon
mit dem Bewußtsein des
Untergangs des deutschen
Judentums geschrieben‹,
legt es Gesetzlichkeiten bloß,
die nicht nur Rahel betreffen.«
Frankfurter Allgemeine
Zeitung

ein Ullstein Buch